MAIGRET
À NEW-YORK

OUVRAGES DE GEORGES SIMENON

AUX PRESSES DE LA CITÉ

COLLECTION MAIGRET

LES INTROUVABLES

ROMANS

SÉRIE POURPRE

GEORGES SIMENON

MAIGRET
Á NEW-YORK

PRESSES DE LA CITÉ

© 1947 *by Georges Simenon.*
ISBN 2-285-00455-9

CHAPITRE

1

Le BATEAU AVAIT
dû atteindre la Quarantaine vers quatre heures du
matin et la plupart des passagers dormaient. Quelques-uns s'étaient vaguement réveillés en entendant
le vacarme de l'ancre, mais bien peu d'entre eux,
malgré les promesses qu'ils s'étaient faites, avaient
eu le courage de monter sur le pont pour contempler
les lumières de New-York.

Les dernières heures de la traversée avaient été
les plus dures. Maintenant encore, dans l'estuaire,
à quelques encablures de la statue de la Liberté,
une forte houle soulevait le navire... Il pleuvait.
Il bruinait, plutôt, une humidité froide tombait de
partout, imprégnait tout, rendait les ponts sombres
et glissants, laquait les rambardes et les cloisons
métalliques.

Maigret, lui, au moment où l'on stoppait les machines, avait passé son lourd pardessus sur son
pyjama et était monté sur le pont où quelques ombres
allaient et venaient à grands pas, zigzagantes, que

l'on voyait tantôt très haut au-dessus de soi, tantôt très bas en dessous, à cause du tangage.

Il avait regardé les lumières, en fumant sa pipe et d'autres bateaux qui attendaient l'arrivée de la santé et de la douane.

Il n'avait pas aperçu Jean Maura. Il était bien passé devant sa cabine, où il y avait de la lumière, et avait failli frapper. A quoi bon? Il était rentré chez lui pour se raser. Il avait bu — il devait s'en souvenir, comme on se souvient de détails sans importance — il avait bu, au goulot, une gorgée d'une bouteille de marc que Mme Maigret avait glissée dans ses bagages.

Que s'était-il passé ensuite? C'était sa première traversée, à cinquante-six ans, et il était tout étonné de se trouver sans curiosité, de rester insensible au pittoresque.

Le navire s'animait. On entendait les stewards traîner des bagages le long des coursives, les passagers sonner les uns après les autres.

Une fois prêt, il remonta sur le pont, et le crachin en forme de brouillard commençait à devenir laiteux, les lumières à pâlir dans cette sorte de pyramide de béton que Manhattan offrait à ses yeux.

— Vous ne m'en voulez pas, commissaire?

C'était le jeune Maura qui venait de s'approcher de lui et qu'il n'avait pas entendu venir. Il était pâle, mais tout le monde, ce matin-là, sur le pont, avait un teint brouillé, des yeux fatigués.

— Vous en vouloir de quoi?

— Vous le savez bien... J'étais trop nerveux, trop tendu... Alors, quand ces gens m'ont invité à boire avec eux...

Tous les passagers avaient trop bu. C'était le dernier soir. Le bar allait fermer. Les Américains surtout, voulaient profiter des dernières liqueurs françaises.

Seulement, Jean Maura avait dix-neuf ans à peine. Il venait de traverser une longue période de tension nerveuse et son ivresse avait été rapide, déplaisante, car il pleurait et menaçait tour à tour.

Maigret avait fini par le coucher, vers deux heures du matin. Il avait dû l'entraîner de force dans sa cabine où le gamin protestait, s'en prenait à lui, lançait avec rage :

— Ce n'est pas parce que vous êtes le fameux commissaire Maigret que vous devez me traiter comme un enfant... Un seul homme, vous entendez, un seul homme au monde a le droit de me donner des ordres : c'est mon père...

A présent, il était honteux, le cœur et l'estomac barbouillés, et il fallait que ce fût Maigret qui le remît d'aplomb, qui lui posât sa lourde patte sur l'épaule.

— Cela m'est arrivé avant que cela vous arrive, mon pauvre vieux...

— J'ai été méchant, injuste... Voyez-vous, je pensais tout le temps à mon père...

— Mais oui...

— Je me réjouis tellement de le retrouver, de savoir qu'il ne lui est rien arrivé...

Maigret fumait sa pipe dans le crachin, regardait un bateau gris, que les houles soulevaient très haut et laissaient retomber, exécuter de savantes manœuvres pour accoster l'échelle de coupée. Des officiers passaient comme en voltige à bord du paquebot et disparaissaient dans l'appartement du capitaine.

On ouvrait les cales. Les cabestans fonctionnaient déjà. Les passagers devenaient plus nombreux sur le pont et quelques-uns, malgré le demi-jour, s'obstinaient à prendre des photographies. Il y en avait qui échangeaient des adresses, qui se promettaient de se revoir, de s'écrire. D'autres encore, dans les salons, remplissaient leurs déclarations de douane.

Les officiers de la douane partirent, le bateau gris s'éloigna, puis ce furent deux vedettes qui abordèrent avec ceux de l'immigration, la police et la santé. En même temps, le petit déjeuner était servi dans la salle à manger.

A quel moment Maigret perdit-il Jean Maura de vue? C'est ce qu'il eut le plus de peine à établir par la suite. Il était allé boire une tasse de café, puis il avait distribué ses pourboires. Des gens qu'il connaissait à peine lui avaient serré la main. Il avait fait la queue, ensuite, dans le salon des premières classes où un médecin lui avait tâté le bras et lui avait regardé la langue cependant que d'autres fonctionnaires examinaient ses papiers.

A certain moment, sur le pont, il y eut une bousculade. On le renseigna. C'étaient les journalistes qui venaient de monter à bord et qui photographiaient un ministre européen et une vedette de cinéma.

Un détail l'amusa. Il entendit un des journalistes, qui examinait avec le commissaire du bord la liste des passagers, et qui disait ou devait dire (car les connaissances de Maigret en anglais dataient du collège) :

— Tiens! C'est le même nom que le fameux commissaire de la P. J.

Où était Maura à cet instant? Le navire, tiré par deux remorqueurs, s'était avancé vers la statue de la Liberté que contemplaient les passagers accoudés à la rambarde.

De petits bateaux bruns, bourrés de monde comme des wagons de métro, frôlaient sans cesse le navire :

des banlieusards, en somme, des gens de Jersey-City ou d'Hoboken qui arrivaient de la sorte à leur travail.

— Voulez-vous venir par ici, monsieur Maigret?

Le paquebot était amarré aux quais de la *French Line* et les passagers descendaient à la queue leu leu, anxieux de retrouver leurs bagages dans le hall de la douane.

Où était Jean Maura? Il le chercha. Puis il dut descendre, parce qu'on l'appelait à nouveau. Il se dit qu'il retrouverait le jeune homme en bas, devant leurs bagages, puisqu'ils avaient les mêmes initiales.

Il n'y avait pas de drame dans l'air, pas de nervosité. Maigret était lourd, courbatu par une traversée pénible et par le sentiment qu'il avait eu tort de quitter sa maison de Meung-sur-Loire.

Il avait tellement conscience qu'il n'était pas à sa place! Dans ces moments-là, il devenait volontiers grognon et, comme il avait horreur de la foule, des formalités, comme il comprenait difficilement ce qu'on lui disait en anglais, son humeur devenait de plus en plus saumâtre.

Où était Maura? On lui faisait chercher ses clefs, qu'il avait la manie de chercher dans toutes ses poches pendant un temps infini avant de les trouver à l'endroit où elles devaient fatalement être. Il n'avait rien à déclarer, mais il ne lui en fallut pas moins déballer tous les petits paquets soigneusement ficelés par Mme Maigret qui, elle, n'avait jamais eu à passer de douane.

Quand ce fut fini, il aperçut le commissaire du bord.

— Vous n'avez pas vu le jeune Maura?

— Il n'est plus à bord, en tout cas... Il n'est pas

ici non plus... Vous voulez que je me renseigne?

Cela ressemblait à un hall de gare, en plus tré-
pidant, avec des porteurs qui vous donnaient des
coups de valise dans les jambes. On cherchait Maura
partout.

— Il doit être parti, monsieur Maigret... Sans
doute sera-t-on venu le chercher?...

Qui serait venu le chercher, puisque personne
n'était averti de son arrivée?

Force lui était de suivre le porteur qui s'était
emparé de ses bagages. Il ne connaissait pas les
petites pièces d'argent dont le barman l'avait muni
et il ne savait pas combien donner de pourboire.
On le poussait littéralement dans un taxi jaune.

— Hôtel Saint-Régis... répétait-il quatre ou cinq
fois avant de se faire comprendre.

C'était parfaitement idiot. Il n'aurait pas dû se
laisser impressionner par ce gamin. Car ce n'était
après tout qu'un gamin. Quant à M. d'Hoquélus,
Maigret en arrivait à se demander s'il était plus
sérieux que le jeune homme.

Il pleuvait. On roulait dans un quartier sale où
les maisons étaient laides à en donner la nausée.
Était-ce cela, New-York?

Dix jours... Non, neuf jours avant, exactement,
Maigret était encore installé à sa place habituelle,
au café du Cheval-Blanc, à Meung. Il pleuvait aussi,
d'ailleurs. Il pleut aussi bien sur les bords de la Loire
qu'en Amérique. Maigret jouait à la belote. Il était
cinq heures du soir.

Est-ce qu'il n'était pas un fonctionnaire à la retraite?
Ne jouissait-il pas pleinement de cette retraite et
de la maison qu'il avait amoureusement aménagée?
Une maison comme il avait toute sa vie souhaité
d'en avoir une, une de ces maisons de la campagne

qui sentent bon les fruits qui mûrissent, le foin coupé, l'encaustique, sans compter le ragoût qui mijote, et Dieu sait si Mme Maigret s'y entendait, à faire mijoter des ragoûts!

Des imbéciles, de temps en temps, lui demandaient avec un petit sourire qui le mettait en colère :

— Pas trop de nostalgie, Maigret ?

La nostalgie de quoi? Des vastes couloirs glacés de la Police judiciaire, des enquêtes à n'en plus finir, des jours et des nuits passés à la poursuite d'une canaille quelconque?

Bon! Il était heureux. Il ne lisait même pas les faits divers, ni le récit des crimes, dans les journaux. Et, quand Lucas venait le voir, Lucas qui avait été pendant quinze ans son inspecteur préféré, il était bien entendu qu'on n'avait pas le droit de faire la moindre allusion à la « Maison ».

Il joue à la belote. Il annonce une tierce haute en atout. Juste à ce moment, le garçon vient lui annoncer qu'on le demande au téléphone et il y va en gardant ses cartes à la main.

— C'est toi, Maigret?

Sa femme. Car sa femme n'a jamais pu s'habituer à l'appeler autrement que par son nom de famille.

— Il y a ici quelqu'un qui vient de Paris pour te voir .

Il s'y rend, bien entendu. Devant chez lui stationne une voiture d'ancien modèle, bien astiquée, avec un chauffeur en uniforme sur le siège. Maigret jette un coup d'œil à l'intérieur et a l'impression d'apercevoir un vieux monsieur enveloppé d'un plaid.

Il entre. Mme Maigret, comme toujours dans ces cas-là, l'attend derrière la porte.

Elle chuchote;

— C'est un jeune homme... Je l'ai introduit au salon... Il y a un vieux monsieur dans l'auto, peut-être son père... J'ai voulu qu'il le prie d'entrer, mais il a répondu que ce n'était pas la peine...

Et voilà comment, bêtement, alors qu'on est bien tranquille à jouer aux cartes, on se laisse embarquer pour l'Amérique!

Toujours la même chanson pour commencer avec la même nervosité, les mains qui se crispent, les petits coups d'œil en coin :

— ... Je connais la plupart de vos enquêtes... Je sais que vous êtes le seul homme qui... et que... et patati et patata...

Les gens ont invariablement la conviction que le drame qu'ils vivent est le plus extraordinaire du monde.

— Je ne suis qu'un jeune homme... Vous allez sans doute vous moquer de moi...

Tous aussi ont la certitude qu'on va se moquer d'eux, que leur cas est tellement unique que personne ne pourra le comprendre.

— On m'appelle Jean Maura... Je suis étudiant à la Faculté de droit... Mon père est John Maura...

Et après? Le gamin a dit ça comme si l'univers entier se devait de connaître John Maura.

— John Maura, de New-York.

Maigret grogne en fumant sa pipe.

— On parle souvent de lui dans les journaux... C'est un homme fort riche, fort connu en Amérique, excusez-moi de vous dire ça... C'est nécessaire pour que vous compreniez...

Et le voilà qui raconte une histoire compliquée. A un Maigret qui bâille, que cela n'intéresse pas du tout, qui pense toujours à sa belote et qui se sert machinalement un verre de marc. On entend Mme Mai-

gret aller et venir dans la cuisine. Le chat se frotte
aux jambes du commissaire. A travers les rideaux,
on aperçoit un vieux monsieur qui a l'air de som-
meiller dans le fond de l'auto.

— Mon père et moi, voyez-vous, ce n'est pas
comme les autres pères et les autres fils... Il n'a que
moi au monde... Il n'y a que moi qui compte... Malgré
ses affaires, il m'écrit chaque semaine une longue
lettre... Et chaque année, à l'époque des vacances,
nous passons deux ou trois mois ensemble, en Italie,
en Grèce, en Égypte, aux Indes... Je vous ai apporté
ses dernières lettres pour que vous compreniez...
Ne croyez pas, parce qu'elles sont tapées à la machine,
qu'il les ait dictées... Mon père a l'habitude d'écrire
lui-même ses lettres personnelles avec une petite
machine portative. »

« Mon chéri... »

Le ton est presque celui que l'on emploierait avec
une femme aimée. Le papa d'Amérique s'inquiète
de tout, de la santé de son fils, de son sommeil, de
ses sorties, de ses humeurs, voire de ses rêves. Il se
réjouit d'être aux prochaines vacances. Où iront-ils
cette année tous les deux ?

C'est très tendre, à la fois maternel et câlin.

— Ce dont je voudrais vous convaincre, c'est
que je ne suis pas un gamin nerveux qui se forge
des idées... Depuis six mois environ, il se passe quelque
chose de grave... Je ne sais pas quoi, mais j'en ai
la certitude... On sent que mon père a peur, qu'il
n'est plus le même, qu'il a conscience d'un danger.

» D'ailleurs, son genre de vie a changé tout à
coup. Pendant les derniers mois, il a voyagé sans
cesse, allant du Mexique en Californie et de la Californie au Canada à un rythme si précipité que cela
me laisse une impression de cauchemar.

» Je pensais bien que vous ne me croiriez pas...
J'ai souligné le passage de ses lettres où il parle
de l'avenir avec une sorte de terreur inexprimée...

» Vous verrez que certains mots reviennent sans
cesse, qu'il n'employait jamais auparavant :

» — *S'il t'arrivait d'être seul...*

» — *Si je venais à te manquer...*

» — *Quand tu seras seul...*

» — *Quand je ne serai plus là...*

» Ces mots sont de plus en plus fréquents, comme
une hantise, et pourtant je sais que mon père a une
santé de fer. J'ai câblé à son médecin pour me rassurer.
J'ai sa réponse. Il se moque de moi et m'affirme qu'à
moins d'un accident fortuit mon père en a pour
trente ans à vivre...

» Comprenez-vous ? »

Le mot qu'ils disent tous :

— *Comprenez-vous ?*

— Je suis allé voir mon notaire, M. d'Hoquélus,
que vous connaissez sans doute de réputation...
C'est un vieillard, vous le savez, un homme d'expérience... Je lui ai montré les dernières lettres...
Je l'ai trouvé presque aussi inquiet que moi.

» Et, hier, il m'a confié que mon père l'a chargé
d'opérations inexplicables.

» M. d'Hoquélus est le correspondant de mon
père en France, son homme de confiance... C'est
lui qui était mandaté pour me donner tout l'argent
dont je pouvais avoir besoin... Or, ces derniers temps,
mon père l'a chargé de faire à diverses personnes
des donations considérables entre vifs.

» Non pas pour me déshériter, vous pouvez me
croire... Au contraire... Car, par des actes sous seing
privé, il est convenu que ces sommes me seront
remises plus tard de la main à la main...

» Pourquoi, puisque je suis son seul héritier ?

» Parce qu'il craint, n'est-ce pas, que sa fortune ne puisse pas m'être normalement transmise...

» J'ai amené M. d'Hoquélus avec moi. Il est dans la voiture. Si vous désirez lui parler... »

Comment ne pas être impressionné par la gravité du vieux notaire ? Et celui-ci parle presque comme le jeune homme.

— Je suis persuadé, dit-il en pesant ses mots, qu'un événement important s'est produit dans la vie de Joachim Maura.

— Pourquoi l'appelez-vous Joachim ?

— C'est son véritable prénom. Aux États-Unis, il a pris celui plus courant de John... Je suis persuadé, moi aussi, qu'il se sent menacé par un danger sérieux... Quand Jean m'a avoué son intention d'aller là-bas, je n'ai pas eu le courage de l'en dissuader, mais je lui ai conseillé de se faire accompagner par une personne d'expérience...

— Pourquoi pas vous ?

— A cause de mon âge, d'abord... Puis pour des raisons que vous comprendrez peut-être plus tard... J'ai la conviction que, ce qu'il faut à New-York, c'est un homme qui ait l'expérience des choses de police... J'ajoute que mes instructions ont toujours été de donner à Jean Maura tout l'argent qu'il pourrait me réclamer et que, dans les circonstances actuelles, je ne peux qu'approuver son désir de...

La conversation avait duré deux heures, à mi-voix, et M. d'Hoquélus n'avait pas été insensible au vieux marc de Maigret. De temps en temps, celui-ci entendait sa femme qui venait écouter derrière la porte, non par curiosité, mais pour savoir si elle pouvait enfin mettre la table.

Quelle stupeur quand, la voiture partie, il lui avait

annoncé, pas très fier de s'être laissé persuader, en somme :

— Je pars pour l'Amérique.

— Comment dis-tu ?

Et maintenant un taxi jaune l'emmenait à travers des rues qu'il ne connaissait pas, sous une pluie fine qui rendait le décor maussade.

Pourquoi Jean Maura avait-il disparu au moment précis où ils atteignaient New-York ? Fallait-il croire qu'il avait rencontré quelqu'un, ou que, dans sa hâte de revoir son père, il avait cavalièrement laissé son compagnon en plan ?

Les rues devenaient plus élégantes. On s'arrêtait au coin d'une avenue que Maigret ne savait pas encore être la fameuse Cinquième Avenue et un portier se précipitait vers lui.

Nouvel embarras pour payer le chauffeur avec cette monnaie inconnue. Puis c'était le hall de l'hôtel Saint-Régis, le bureau de la réception où il trouvait enfin quelqu'un parlant le français.

— Je voudrais voir M. John Maura.

— Un instant, s'il vous plaît...

— Pouvez-vous me dire si son fils est arrivé ?

— Personne n'a demandé M. Maura ce matin...

— Il est chez lui ?

Froidement poli, l'employé lui répondait, en décrochant un téléphone :

— Je vais le demander à son secrétaire.

Puis à l'appareil :

— Allô... M. Mac Gill ?... Ici, le *desk*... Il y a une personne qui demande à voir M. Maura... Vous dites ?... Je le lui demande... Voulez-vous me donner votre nom, monsieur ?

— Maigret...

— Allô... M. Maigret... Bien... Un instant.

Et, raccrochant :

— M. Mac Gill me prie de vous dire que M. Maura ne reçoit que sur rendez-vous... Si vous voulez lui écrire et lui laisser votre adresse, il ne manquera pas de vous répondre.

— Ayez l'amabilité d'annoncer à ce monsieur Mac Gill que j'arrive de France tout exprès pour rencontrer M. Maura et que j'ai des choses importantes à lui dire.

— Je regrette... Ces messieurs ne me pardonneraient pas de les déranger à nouveau... Mais, si vous vous donnez la peine d'écrire un mot ici, dans le salon, je le ferai monter par un chasseur.

Maigret était furieux. Plus encore contre lui que contre ce Mac Gill qu'il ne connaissait pas, mais qu'il commençait déjà à détester.

Comme il détestait, en bloc et d'avance, tout ce qui l'entourait, le hall chargé de dorures, les chasseurs qui le regardaient avec ironie, les jolies femmes qui allaient et venaient, les hommes trop sûrs d'eux qui le bousculaient sans daigner s'excuser.

Monsieur,

Je viens d'arriver de France, chargé d'une mission importante par votre fils et par M. d'Hoquélus. Comme mon temps est aussi précieux que le vôtre, je vous serais obligé de bien vouloir me recevoir sur-le-champ. Salutations.

MAIGRET.

⁎⁎

On le laissa se morfondre un bon quart d'heure dans son coin et, de rage, il fumait sa pipe, bien qu'il se rendît compte que ce n'était pas l'endroit. Un chasseur vint enfin le chercher et pénétra avec lui dans un ascenseur, le pilota et long d'un couloir, frappa à une porte et l'abandonna.

— Entrez!

Pourquoi s'était-il figuré le Mac Gill comme un monsieur entre deux âges et de mine rébarbative? C'était un grand jeune homme bien découplé, très élégant, qui s'avançait vers lui la main tendue.

— Excusez-moi, monsieur, mais M. Maura est tellement assailli par des solliciteurs de toutes sortes que nous sommes obligés de dresser autour de lui un barrage sévère. Vous me dites que vous arrivez de France... Dois-je comprendre que vous êtes le... l'ex... enfin le...

— L'ex-commissaire Maigret, oui.

— Asseyez-vous, je vous en prie... Un cigare?

Il y en avait plusieurs boîtes sur un meuble. La pièce était vaste. C'était un salon qu'un immense bureau d'acajou transformait sans lui donner cependant l'aspect d'un cabinet d'affaires.

Maigret, dédaignant le cigare de La Havane, avait à nouveau bourré sa pipe et examinait son interlocuteur sans bienveillance.

— Vous nous apportez, avez-vous écrit, des nouvelles de M. Jean?

— Si vous le permettez, j'en parlerai personnellement à M. Maura quand vous aurez l'obligeance de m'introduire auprès de celui-ci.

Mac Gill montra toutes ses dents, qui étaient fort belles, dans un sourire.

— On voit bien, cher monsieur, que vous venez d'Europe. Sinon, vous sauriez que John Maura est un des hommes les plus occupés de New-York, que moi-même, à ce moment, j'ignore absolument où il se trouve, et enfin que je suis chargé de toutes ses affaires, y compris les plus personnelles... Vous pouvez donc me parler sans crainte et me dire...

— J'attendrai que M. Maura consente à me recevoir.

— Encore faudrait-il qu'il sache de quoi il s'agit.

— Je vous l'ai dit, de son fils...

— Dois-je, étant donné votre qualité, m'imaginer que celui-ci a fait quelque bêtise ?

Maigret ne broncha pas, ne répondit rien, continua d'examiner froidement son interlocuteur.

— Excusez-moi d'insister, monsieur le commissaire... Je suppose que, bien que vous soyez à la retraite, à ce que j'ai appris par les journaux, on continue à vous donner votre titre... Excusez-moi, dis-je, de vous rappeler que nous sommes aux États-Unis et non en France et que les minutes de John Maura sont comptées... Jean est un charmant garçon, un peu trop sensible peut-être, mais je me demande en quoi il a pu...

Maigret se leva tranquillement, ramassa son chapeau qu'il avait posé sur le tapis à côté de sa chaise.

— Je vais prendre une chambre dans cet hôtel... Lorsque M. Maura aura décidé de me recevoir...

— Il ne sera pas à New-York avant une quinzaine de jours.

— Pouvez-vous me dire où il se trouve en ce moment ?

— C'est difficile. Il se déplace en avion et, avant-hier, il se trouvait à Panama... Peut-être aujourd'hui a-t-il atterri à Rio ou au Venezuela...

— Je vous remercie...

— Vous avez des amis à New-York, monsieur le commissaire ?

— Personne en dehors de quelques chefs de la police avec qui il m'est arrivé de travailler.

— Voulez-vous m'autoriser à vous inviter à déjeuner ?

— Je pense que je déjeunerai plutôt avec l'un d'entre eux...

— Si j'insistais ?... Je suis désolé du rôle que ma fonction m'oblige à jouer et j'aimerais que vous ne m'en teniez pas rigueur... Je suis l'aîné de Jean, mais pas de beaucoup, et j'ai une grande affection pour lui. Vous ne m'avez même pas donné de ses nouvelles...

— Pardon... Puis-je savoir depuis combien de temps vous êtes le secrétaire particulier de M. Maura ?

— Six mois environ... Je veux dire six mois que je suis avec lui, mais je le connais depuis longtemps, pour ne pas dire depuis toujours...

On marchait dans la pièce voisine. Maigret vit le visage de Mac Gill qui changeait de couleur. Le secrétaire écoutait avec anxiété les pas qui se rapprochaient, regardait le bouton doré de la porte de communication qui tournait lentement, puis l'huis qui s'entrouvrait.

— Venez un instant, Jos...

Un visage maigre, nerveux, sous des cheveux encore blonds bien qu'entremêlés de fils blancs. Un regard qui se posait sur Maigret, un front qui se plissait. Le secrétaire se précipitait, mais déjà le nouveau venu s'était ravisé et pénétrait dans le bureau, le regard toujours fixé sur Maigret.

— Il me semble... commençait-il, comme quand on croit reconnaître quelqu'un et qu'on cherche dans sa mémoire.

— Commissaire Maigret, de la Police judiciaire... Plus exactement, ex-commissaire Maigret, puisque voilà un an que je suis à la retraite.

John Maura était petit, d'une taille inférieure à la moyenne, très sec, mais doué apparemment d'une énergie peu commune.

— C'est à moi que vous désirez parler ?

Il se tourna vers Mac Gill sans attendre la réponse.

— Qu'est-ce que c'est, Jos?

— Je ne sais pas, patron... Le Commissaire...

— Si cela ne vous fait rien, monsieur Maura, j'aimerais vous parler seul à seul. Il s'agit de votre fils...

Or pas un trait du visage de l'homme qui écrivait des lettres si tendres ne tressaillit.

— Vous pouvez parler devant mon secrétaire.

— Fort bien... Votre fils est à New-York.

Et Maigret ne quittait pas les deux hommes des yeux. Se trompait-il? Il eut l'impression très nette que Mac Gill marquait le coup, tandis qu'au contraire Maura restait imperturbable, laissait simplement tomber du bout des lèvres :

— Ah!

— Cela ne vous étonne pas?

— Vous savez sans doute que mon fils est absolument libre?...

— Cela ne vous surprend-il pas tout au moins qu'il ne soit pas encore venu vous voir?

— Étant donné que j'ignore quand il a pu arriver...

— Il est arrivé ce matin, en ma compagnie...

— Dans ce cas, vous devez savoir...

— Je ne sais rien, justement. Dans la bousculade du débarquement et des formalités, je l'ai perdu de vue... La dernière fois que je l'ai aperçu et que je lui ai parlé, le bateau se trouvait encore à l'ancre à la Quarantaine.

— Vraisemblablement aura-t-il rencontré des amis.

Et John Maura alluma lentement un long cigare marqué à son chiffre.

— Je regrette, monsieur le commissaire, mais je ne vois pas en quoi l'arrivée de mon fils...

— A un rapport quelconque avec ma visite?

— C'est à peu près ce que je voulais dire. Je suis

très pris ce matin. Si vous le permettez, je vais vous
laisser avec mon secrétaire à qui vous pouvez parler
en toute liberté... Excusez-moi, monsieur le commissaire.

Un salut assez sec. Il fit demi-tour et disparut par
où il était entré. Mac Gill hésita un instant, murmura :

— Vous permettez ?

Et il disparut sur les talons de son patron, referma
la porte. Maigret était tout seul dans le bureau, tout
seul et pas fier. Il entendait chuchoter dans la pièce
voisine. Il allait sortir, furieux, quand le secrétaire
reparut, alerte et souriant.

— Vous voyez, cher monsieur, que vous avez eu
tort de vous méfier de moi.

— Je pensais que M. Maura était au Venezuela ou
à Rio...

L'autre rit.

— Cela ne vous est-il pas arrivé, au Quai des Orfèvres, où vous aviez de lourdes responsabilités, d'user
d'un petit mensonge pour vous débarrasser d'un visiteur ?

— Je vous remercie quand même de m'avoir rendu
la pareille !

— Allons... Ne me gardez pas rancune... Quelle
heure est-il ?... Onze heures et demie... Si vous n'y
voyez pas d'inconvénient, je vais téléphoner au *desk*
pour qu'on vous retienne une chambre, car vous
auriez de la peine à en obtenir autrement... Le *Saint-
Régis* est un des hôtels les plus recherchés de New-
York... Je vous laisserai le temps de prendre un bain
et de vous changer et, si vous le voulez, nous nous
retrouverons à une heure au bar, après quoi nous dé-
jeunerons tous les deux.

Maigret fut tenté de refuser et de s'en aller en gardant son air le plus renfrogné. Il aurait bien été capable,

s'il y avait eu un bateau le soir même pour l'Europe, de rembarquer sans faire davantage la connaissance de cette ville qui lui réservait un accueil si revêche.

— Allô... Le *desk*... Ici, Mac Gill... Allô, oui... Vous serez bien aimable de réserver un appartement pour un ami de M. Maura... Oui... M. Maigret. Je vous remercie.

Et, tourné vers le commissaire :

— Vous parlez un peu l'anglais ?

— Comme tous ceux qui l'ont appris au collège et qui l'ont oublié.

— Dans ce cas, vous aurez quelques difficultés dans les débuts... C'est votre premier voyage aux États-Unis ?... Croyez que je me mettrai dans la mesure du possible à votre disposition.

Il y avait quelqu'un derrière la porte, John Maura sans doute. Mac Gill le savait aussi, mais cela ne paraissait pas l'incommoder.

— Vous n'avez qu'à suivre le chasseur... A tout à l'heure, monsieur le commissaire. Et sans doute Jean Maura aura-t-il sa réapparition à temps pour déjeuner avec nous. Je vous fais monter vos bagages.

Un ascenseur encore. Un salon, une chambre, une salle de bains, un porteur qui attendait son pourboire et que Maigret regardait sans comprendre, parce qu'il avait rarement été aussi ahuri, voire aussi humilié de sa vie.

Dire que, dix jours auparavant, il jouait tranquillement à la belote avec le maire de Meung, le docteur et le marchand d'engrais, dans la salle chaude et toujours un peu sombre du *Cheval-Blanc !*

CHAPITRE

2

Cet homme roux
n'était-il pas une sorte de génie bienfaisant? Dans
la 49ᵉ Rue, à deux pas de Broadway, de ses lumières,
de son vacarme, il poussait une porte, après avoir
descendu quelques marches comme pour s'enfoncer
dans une cave. Sur la vitre de cette porte, déjà, il y
avait un rideau à petits carreaux rouges. Ces mêmes
carreaux démocratiques, qui rappelaient les cabou-
lots de Montmartre et de la banlieue parisienne, on
les retrouvait sur les tables et on retrouvait le zinc
aussi, une odeur de cuisine familière, une patronne un
peu grasse, un tantinet faubourienne, qui venait demander :

— Qu'est-ce que vous allez manger, mes enfants?
Il y a toujours du steak, bien entendu, mais, aujour-
d'hui, j'ai un de ces coqs au vin...

Le démiurge, ou plutôt le capitaine O'Brien, souriait d'un sourire très doux et comme timide.

— Vous voyez, disait-il à Maigret, non sans une
pointe d'ironie, que New-York n'est pas ce que l'on
croit.

Et bientôt, il y avait sur la table un authentique beaujolais accompagnant le coq au vin qui fumait dans les assiettes.

— Vous ne me direz pas, capitaine, que les Américains ont l'habitude...

— De manger comme nous le faisons ce soir? Peut-être pas tous les jours. Peut-être pas tous. Mais, ma foi, nous sommes un certain nombre à ne pas détester la vieille cuisine et je vous trouverai cent restaurants dans le genre de celui-ci... Vous avez débarqué ce matin... Cela vous fait douze heures à peine et vous voilà déjà comme chez vous, n'est-ce pas?... Maintenant, continuez votre histoire.

— Ce Mac Gill, je vous l'ai dit, m'attendait au bar du *Saint-Régis*... J'ai tout de suite compris qu'il avait décidé de changer d'attitude à mon égard.

C'était à six heures seulement que Maigret, débarrassé de Mac Gill, qui s'était accroché à lui tout l'après-midi, avait pu téléphoner au capitaine O'Brien, de la Police fédérale, qu'il avait connu en France, quelques années plus tôt, à l'occasion d'une importante affaire internationale.

Rien de plus doux, de plus calme que ce grand homme roux qui avait une tête de mouton et que la timidité faisait encore rougir à quarante-six ans. Il avait donné rendez-vous au commissaire dans le hall du *Saint-Régis*. Dès que celui-ci lui avait parlé de Maura, il avait conduit son collègue dans un petit bar proche de Broadway.

— Je suppose que vous n'aimez ni le whisky, ni les coktails?

— J'avoue que s'il y a moyen d'avoir de la bière...

C'était un bar quelconque. Quelques hommes au comptoir et des amoureux aux quatre ou cinq tables noyées de pénombre. N'était-ce pas une curieuse idée de l'avoir introduit dans un endroit pareil où il n'avait que faire?

N'était-ce pas plus étrange encore de voir le capitaine O'Brien chercher une pièce de monnaie dans sa poche et la glisser gravement dans la fente d'un phonographe automatique qui se mettait à jouer en sourdine quelque chose de mollement sentimental?

Et l'homme roux souriait en épiant son collègue d'un œil amusé.

— Vous n'aimez pas la musique?

Maigret n'avait pas encore eu le temps d'user toute sa mauvaise humeur et il fut incapable de ne pas la laisser sentir.

— Allons... Je ne vous ferai pas languir... Vous voyez cette machine à débiter de la musique... Je viens de mettre une pièce de cinq *cents* dans la fente et cela me donne droit à une rengaine d'une minute et demie environ... Il y a quelques milliers de machines de ce genre dans les bars, les brasseries et les restaurants de New-York... Il y en a des dizaines de milliers dans les autres villes des États-Unis et jusqu'au fond des campagnes... A l'instant même, à la minute où nous parlons, la moitié au moins de ces instruments qui vous paraissent barbares fonctionnent, autrement dit des gens y mettent chacun cinq *cents*, ce qui fait des milliers et des milliers de fois cinq *cents*, ce qui fait... Mais je suis pas très fort en calcul.

» Or savez-vous à qui vont ces *nickels*, comme nous disons? A votre ami John Maura, plus connu aux États-Unis sous le nom de Little John, à cause de sa petite taille.

» Et Little John a installé des instruments identiques, dont il a en quelque sorte le monopole, dans la plupart des républiques sud-américaines.

» Comprenez-vous maintenant que Little John soit un personnage considérable ? »

Toujours cette pointe à peine perceptible d'ironie, au point que Maigret, qui n'y était pas habitué, se demandait encore si son interlocuteur était un naïf ou s'il se moquait de lui.

— Maintenant, nous pouvons aller dîner et vous me raconterez votre histoire.

Ils étaient à table à présent, bien au chaud, tandis que le vent soufflait dehors par rafales si fortes que les passants marchaient penchés en avant, que des gens couraient après leur chapeau et que les femmes devaient tenir leur robe à deux mains. La tempête, celle-là sans doute que Maigret avait essuyée en mer, avait rejoint la côte, et New-York en était secoué : des enseignes se décrochaient de temps en temps, ou des choses tombaient du haut des immeubles, les taxis jaunes eux-mêmes semblaient avoir de la peine à se frayer un chemin dans le vent.

Cela avait commencé juste après le déjeuner, alors que Mac Gill et Maigret quittaient le *Saint-Régis*.

— Vous connaissez le secrétaire de Maura ? demandait-il maintenant à O'Brien.

— Pas particulièrement. Voyez-vous, mon cher commissaire, la police, chez nous, n'est pas tout à fait la même qu'en France. Je le regrette, d'ailleurs, car notre tâche serait beaucoup plus facile. Nous avons un sens très poussé de la liberté individuelle et, si je me permettais de me renseigner, fût-ce discrètement, sur un monsieur à qui je n'ai rien de précis à reprocher, je me mettrais dans un très mauvais cas.

» Or, Little John, je m'empresse de vous le dire, n'est pas un gangster. C'est un homme d'affaires considérable et considéré, qui occupe à l'année un appartement somptueux au *Saint-Régis*, un de nos meilleurs hôtels.

» Nous n'avons donc pas à nous occuper de lui ni de son secrétaire. »

Pourquoi ce sourire diffus et pourtant malicieux qui semblait apporter comme une restriction aux paroles prononcées? Maigret s'en irritait un peu. Il se sentait étranger et, comme tout étranger, il avait facilement l'impression qu'on se moquait de lui.

— Je ne suis pas un lecteur de romans policiers et je ne m'attends pas à trouver une Amérique peuplée de gangsters, répliqua-t-il avec un peu d'humeur.

» Pour en revenir à ce Mac Gill qui, malgré son nom, m'a tout l'air d'être d'origine française... »

Et l'autre, à nouveau, avec sa douceur exaspérante :

— Il est difficile, à New-York, de démêler l'origine exacte des gens!

— Je disais que, dès l'apéritif, il s'est mis en frais pour se montrer aussi empressé qu'il l'avait été peu le matin. Il m'a annoncé qu'on n'avait toujours pas de nouvelles du jeune Maura, que son père ne s'en inquiétait pas encore, parce qu'il supposait qu'il y avait une femme sous cette fugue, et il m'a questionné sur les passagères...

» Or il est exact que Jean Maura, pendant la traversée, a paru ému par une des voyageuses, une jeune Chilienne qui doit s'embarquer demain pour l'Amérique du Sud à bord d'un bateau de la *Grace line*. »

On parlait français à la plupart des tables et la

patronne allait de client en client, familière, un peu vulgaire, pour demander avec un savoureux accent de Toulouse :

— Ça va, les enfants ?... Qu'est-ce que vous pensez de ce coq au vin ?... Et après, si le cœur vous en dit, il y a un gâteau au moka fait à la maison...

Le déjeuner avait été tout autre, dans la grande salle à manger du *Saint-Régis* où Mac Gill saluait des tas de gens. En même temps, il s'empressait auprès de Maigret à qui il parlait d'abondance. Que disait-il encore ? Que John Maura était un homme très occupé, d'un caractère assez original, un homme qui avait horreur des nouveaux visages et qui se méfiait de tout le monde.

Comment n'aurait-il pas été surpris, le matin, en voyant arriver chez lui un personnage comme Maigret ?

— Il n'aime pas qu'on s'occupe de ses affaires, vous comprenez ? A plus forte raison de ses affaires de famille. Tenez ! Je suis sûr qu'il adore son fils, et cependant, il ne m'en dit jamais un mot, à moi qui suis son collaborateur le plus intime.

Où voulait-il en venir ? C'était facile à deviner. Il essayait évidemment de savoir pourquoi Maigret avait fait la traversée de l'Atlantique en compagnie de Jean Maura.

Mac Gill continuait :

— J'ai eu une longue conversation avec le patron. Il m'a chargé de me renseigner sur son fils. Tout à l'heure, j'ai rendez-vous, ici même, avec un détective privé que nous avons déjà employé pour de petites affaires, un homme épatant, qui connaît New-York presque aussi bien que vous connaissez Paris... Si la chose vous chante, vous pourrez venir avec nous, et cela m'étonnerait que ce soir nous n'ayons pas retrouvé notre garçon.

Tout cela, Maigret le racontait à présent au capitaine O'Brien, qui l'écoutait en dégustant son dîner avec une lenteur un peu exaspérante.

— Un homme nous attendait, en effet, dans le hall quand nous avons quitté la salle à manger.

— Vous connaissez son nom ?

— On me l'a présenté, mais j'avoue que je n'ai retenu que le prénom... Bill... Oui, c'est bien Bill... J'ai vu tant de gens aujourd'hui, que Mac Gill appelait tous par leur prénom, que j'avoue que je m'y perds un peu.

Toujours ce sourire.

— Vous vous y habituerez... C'est une habitude américaine... Comment est-il, votre Bill ?

— Assez grand, assez gros... Ma corpulence à peu près... Le nez cassé et une cicatrice qui lui coupe le menton.

O'Brien le connaissait certainement, car il avait un léger battement de paupières, mais il ne dit rien.

— Nous avons pris un taxi et nous sommes allés jusqu'aux docks de la *French Line*.

C'était au plus fort de la tempête. Le vent n'avait pas encore chassé la pluie, qu'on recevait par rafales chaque fois qu'on sortait du taxi. Bill conduisait les opérations en mâchant du *chewing-gum* avec énergie, le chapeau un peu en arrière comme dans les films les plus traditionnels. Au fait, avait-il une seule fois retiré ce chapeau de tout l'après-midi ? Probablement pas. Il était peut-être chauve, après tout !

Il s'adressait aux gens, douaniers, stewards, employés de la compagnie, avec une égale familiarité, s'asseyait sur un coin de table ou de bureau, laissait tomber quelques phrases d'un même accent traînant. Et si Maigret ne comprenait pas tout ce qu'il disait, il en comprenait assez pour constater que c'était du travail bien fait, du vrai travail de professionnel.

La douane d'abord... Les bagages de Jean Maura avaient été retirés... A quelle heure?... On feuilletait les fiches... Un peu avant midi... Non, ils n'avaient pas été expédiés en ville par une des compagnies se chargeant de ce genre de transports, et dont les bureaux se trouvaient dans le hall... On les avait donc emmenés en taxi ou dans une voiture particulière.

La personne qui avait retiré les bagages en possédait les clefs... Était-ce Jean Maura en personne? Impossible de s'en assurer. Il était passé quelques centaines de voyageurs ce matin-là et il y en avait encore qui venaient dédouaner leurs bagages.

Le commissaire du . bateau, ensuite. C'était une sensation curieuse de monter à bord d'un bateau vide, de le retrouver désert après l'avoir connu en pleine effervescence, d'assister au grand nettoyage et aux préparatifs en vue d'une nouvelle traversée.

Aucun doute possible, Maura avait quitté le navire et il avait remis ses feuilles au départ... A quelle heure?... Personne ne s'en souvenait... Probablement dans les premiers, au plus fort de la bousculade.

Le steward... Celui-ci se rappelait parfaitement que, vers huit heures du matin, peu après l'arrivée de la police et de la santé, le jeune Maura lui avait remis son pourboire... Et le steward, à ce moment-là, avait déposé sa valise à main près de la coupée... Non, le jeune homme n'était pas nerveux du tout... Un peu fatigué... Il devait avoir mal à la tête, car il avait pris un cachet d'aspirine. Le tube vide était resté sur la tablette de la salle de bains.

L'imperturbable Bill au *chewing-gum* exaspérant les entraînait toujours. A la *French Line*, dans la

Cinquième Avenue, il s'accoudait au comptoir d'acajou et étudiait méticuleusement la liste des passagers.

Puis, d'un *drug store*, il téléphonait à la police du port.

Mac Gill devenait nerveux, c'était l'impression de Maigret. Il ne voulait pas le laisser voir, mais, à mesure que ces démarches se poursuivaient, il était évident qu'il s'impatientait.

Il y avait quelque chose qui clochait, quelque chose qui ne devait pas cadrer avec ce qu'il avait prévu, car, de temps en temps, Bill et lui échangeaient un rapide coup d'œil.

Or maintenant, tandis que le commissaire racontait leurs allées et venues au capitaine O'Brien, celui-ci, lui aussi, devenait plus grave et restait parfois la fourchette en l'air en oubliant de manger.

— Ils ont retrouvé, sur la liste des passagers, le nom de la jeune Chilienne et ils sont parvenus à connaître le nom de l'hôtel où elle est descendue en attendant son bateau. C'est un hôtel de la 66e Rue... Nous y sommes allés... Bill a questionné le portier, l'employé du *desk*, les préposés aux ascenseurs et il n'a relevé aucune trace de Jean Maura.

» Alors, Bill a donné au chauffeur l'adresse d'un bar, près de Broadway... En chemin il a parlé à Mac Gill assez vite pour qu'il me soit impossible de comprendre... J'ai noté le nom du bar : Le *Donkey Bar*... Pourquoi souriez-vous ?

— Pour rien, répliquait lentement le capitaine. En somme, pour votre première journée à New-York, vous avez fait du chemin... Vous avez même fait la connaissance du *Donkey Bar*, ce qui n'est pas si mal... Qu'est-ce que vous en pensez ?

Toujours cette impression qu'on se moquait de lui, amicalement, mais qu'on s'en moquait quand même.

— Très film américain, laissa-t-il tomber avec un grognement.

Une longue salle enfumée, un comptoir interminable avec les inévitables tabourets et les bouteilles multicolores, un barman nègre et un barman chinois, le phono mécanique et les distributeurs automatiques de cigarettes, de *chewing-gum* et de cacahuètes grillées.

Tout le monde, là-dedans, se connaissait ou avait l'air de se connaître. Tout le monde s'interpellait par des Bob, des Dick, des Tom, des Tony et deux ou trois femmes se montraient aussi à l'aise que les hommes.

— Il paraît, dit Maigret, que c'est le lieu de réunion d'un certain nombre de journalistes, de gens de théâtre...

Et l'autre de murmurer en souriant :

— A peu près...

— Notre détective voulait rencontrer un reporter de sa connaissance qui fait les arrivées de bateaux et qui devait être le matin à bord... Nous l'avons rencontré en effet, ivre mort ou presque... C'est son habitude, m'a-t-on affirmé, dès les trois ou quatre heures de l'après-midi...

— Vous savez son nom?

— Vaguement... Quelque chose comme Parson... Jim Parson, si je ne me trompe... Il a les cheveux filasse et les yeux rouges, avec des bavures de nicotine tout autour des lèvres...

Le capitaine O'Brien avait beau prétendre que la police américaine n'avait pas le droit de s'occuper des gens qui n'ont rien sur la conscience, il était quand même assez curieux qu'à chaque nom que Maigret prononçait, à chaque nouvelle description d'un individu, l'homme roux parût parfaitement le connaître.

Aussi le commissaire ne put-il s'empêcher de remarquer :

— Vous êtes sûr que la police de chez vous soit tellement différente de la nôtre ?

— Très ! Qu'est-ce que Jim a raconté ?

— Je n'ai compris que des bribes de phrases. Tout ivre qu'il était, il a paru très intéressé. Il faut dire que le détective l'avait poussé dans un coin et lui parlait durement, dans le nez, comme nous disons en argot, en le maintenant solidement contre le mur. L'autre promettait, cherchait dans sa mémoire. Puis il est entré en titubant dans la cabine téléphonique et je l'ai vu à travers la vitre demander quatre numéros différer⁺s.

» Pendant ce temps-là, Mac Gill m'expliquait :

» — Vous comprenez, c'est encore par les journalistes qui étaient à bord que nous avons le plus de chances de savoir quelque chose. Ces gens-là ont l'habitude d'observer. Ils connaissent tout le monde...

» Toujours est-il que Jim Parson est sorti bredouille de la cabine et qu'il s'est précipité vers un double whisky.

» Il est censé continuer à se renseigner... Si c'est dans les bars, il doit être raide à l'heure qu'il est, car je n'ai jamais vu personne avaler des verres d'alcool à une telle cadence...

— Vous en verrez d'autres... En somme, si je comprends bien, Jos Mac Gill vous a paru, cet après-midi, fort désireux de retrouver le fils de son patron.

— Alors que, le matin, il ne voulait pas en entendre parler.

O'Brien était assez préoccupé, malgré tout.

— Qu'est-ce que vous comptez faire ?

— J'avoue que je ne serais pas fâché de retrouver le gamin.

— Et vous n'avez pas l'air d'être le seul...

— Vous avez une idée, n'est-ce pas?

— Je me souviens, mon cher commissaire, d'un mot que vous m'avez dit à Paris, lors d'un de nos entretiens à la *Brasserie Dauphine*... Vous vous souvenez?

— De nos entretiens, oui, mais pas du mot auquel vous faites allusion...

— Je vous posais à peu près la question que vous venez de me poser et vous m'avez répondu en tirant sur votre pipe :

» — *Moi, je n'ai jamais d'idées.*

» Eh bien! mon cher Maigret, si vous permettez que je vous appelle ainsi, je suis comme vous, en ce moment tout au moins, ce qui prouve que toutes les polices du monde ont certains points communs.

» Je ne sais rien. Je ne connais rien, ou à peu près rien — juste ce que tout le monde en sait — des affaires de Little John et de son entourage.

» J'ignorais jusqu'à l'existence de son fils.

» Et, par-dessus le marché, j'appartiens à la Police fédérale qui n'a à s'occuper que de certains crimes nettement déterminés. Autrement dit, si j'avais le malheur de mettre le nez dans cette histoire, j'aurais toutes les chances de me faire rappeler sévèrement à l'ordre.

» Je suppose que ce n'est pas un conseil que vous désirez de moi? »

Maigret grommela en allumant sa pipe :

— Non.

— Parce que, si c'était un conseil, je vous dirais ceci :

» Ma femme est en ce moment en Floride, elle supporte mal l'hiver à New-York... Je suis donc

seul, car mon fils, de son côté, est dans son université et voilà deux ans que ma fille est mariée... J'ai
donc un certain nombre de soirées libres... Je les
mets à votre disposition pour vous faire connaître
un peu de New-York comme vous m'avez jadis
fait connaître Paris.

» Pour le reste, voyez-vous... Comment dites-
vous encore ?... Attendez... Non, ne me soufflez
pas... Il y a un certain nombre d'expressions de
vous que j'ai retenues et que je répète souvent à
mes collègues... Ah ! oui... Pour le reste, *laissez tomber.*

» Je sais bien que vous ne le ferez pas. Alors, si
le cœur vous en dit, vous pourrez de temps en temps
venir bavarder avec moi.

» Je ne peux pas empêcher un homme comme vous
de me poser des questions, n'est-ce pas ?

» Et il y a des questions auxquelles il est bien difficile de ne pas répondre.

ɪ Tenez ! Par exemple, je suis persuadé que vous
aimeriez voir mon bureau... Je me souviens du vôtre,
dont les fenêtres donnaient sur la Seine. Le mien donne
plus prosaïquement sur un grand mur noir et sur un
parc à autos.

» Avouez que l'armagnac est excellent et que ce
petit bistrot, comme on dit chez vous, n'est pas trop
désagréable. »

Il fallut, comme dans certains restaurants de Paris,
féliciter la patronne et même le chef qu'elle était allée
chercher, promettre de revenir, boire un dernier verre
et enfin signer un livre d'or assez graisseux.

Les deux hommes, un peu plus tard, s'engouffraient
dans un taxi et le capitaine jetait une adresse au chauffeur.

Chacun fumait sa pipe dans le fond, et il y eut
un assez long silence. Chacun, comme par hasard,

ouvrit la bouche au même instant et ils se tournèrent
l'un vers l'autre en souriant de cette coïncidence.

— Qu'est-ce que vous alliez dire?

— Et vous?

— Probablement la même chose que vous.

— J'allais dire, commença l'Américain, que Mac
Gill, d'après ce que vous m'avez raconté, n'avait
aucun désir de vous voir rencontrer son patron.

— Je le pensais à la minute. Et pourtant, contre
mon attente, Little John ne m'a pas paru plus anxieux
que son secrétaire d'avoir des nouvelles de son fils.
Vous saisissez ma pensée?

— Et c'est Mac Gill, ensuite, qui s'est démené
ou a feint de se démener pour retrouver le jeune
homme.

— Et qui s'est mis en frais pour moi... Il m'a
annoncé qu'il me téléphonerait dès demain matin
afin de me donner des nouvelles.

— Il sait que nous nous rencontrons ce soir?

— Je ne lui en ai pas parlé.

— Il s'en doute. Non pas que vous me rencontrez,
moi, mais quelqu'un de la police. Étant donné les
relations que vous avez eues avec la police américaine, c'est fatal... Et, dans ce cas...

— Dans ce cas?

— Rien... Nous sommes arrivés.

Ils pénétrèrent dans un grand immeuble et quelques instants plus tard l'ascenseur les déposait dans
un couloir aux portes numérotées. O'Brien en ouvrit
une avec sa clef, tourna le commutateur.

— Asseyez-vous... Je vous ferai un autre jour les
honneurs de la maison, car, à cette heure-ci, vous
ne la verriez pas à son avantage... Vous permettez
que je vous laisse seul quelques minutes?

Les quelques minutes furent un long quart d'heure

et pendant tout ce temps Maigret se surprit à ne
penser qu'à Little John. C'était curieux : il n'avait
vu celui-ci que pendant d'assez courts instants. Leur
entretien avait été, en somme, assez banal. Et pourtant le commissaire constatait soudain que Maura
avait fait sur lui une forte impression.

Il le revoyait, petit et maigre, vêtu avec une correc-
tion presque excessive. Son visage n'avait rien de
saillant. Qu'était-ce alors qui avait pu frapper Maigret
de la sorte ?

Cela l'intriguait. Il s'imposait un effort de mémoire,
évoquait les moindres gestes du petit homme sec et
nerveux.

Et soudain il se souvenait de son regard, de son
premier regard surtout, quand Maura ne se savait
pas encore observé, quand il avait entrouvert la
porte du salon.

Little John avait les yeux froids!

Maigret aurait été bien en peine d'expliquer ce
qu'il entendait par ces mots, mais il se comprenait.
Quatre ou cinq fois dans sa vie, il avait rencontré
des gens qui avaient les yeux froids, ces yeux qui
peuvent vous fixer sans établir aucun contact humain,
sans que l'on sente ce besoin qu'éprouve tout homme
de communiquer avec son semblable.

Le commissaire venait lui parler de son fils, de ce
gamin à qui il envoyait des lettres aussi tendres qu'à
une femme aimée, et Little John l'observait sans
curiosité, sans aucune émotion, comme il eût contem-
plé la chaise, ou une tache sur le mur.

— Vous m'en voulez de vous avoir laissé seul si
longtemps ?

— Non, car je crois que je viens de faire une décou-
verte.

— Ah !...

— J'ai découvert que Little John a les yeux froids...

Maigret s'attendait à un nouveau sourire de son confrère américain. Il allait, presque agressif, au-devant de ce sourire. Le capitaine O'Brien, au contraire, le regarda gravement.

— C'est ennuyeux... articula-t-il.

Et c'était comme s'ils avaient eu une longue conversation. Il y avait soudain quelque chose entre eux, qui ressemblait à une inquiétude partagée. O'Brien tendit une boîte de tabac.

— Je préfère le mien, si cela ne vous fait rien.

Ils allumèrent leur pipe et ils se turent une fois de plus. Le bureau était banal et assez nu. Il n'y avait que la fumée des deux pipes pour lui conférer un semblant d'intimité.

— Je suppose qu'après votre traversée mouvementée vous devez être fatigué et sans doute avez-vous envie de vous coucher ?

— Parce que vous vous m'auriez proposé un autre emploi du temps ?

— Mon Dieu, tout simplement d'aller prendre un *night cap*... Un bonnet de nuit, si l'on traduit littéralement... Autrement dit, un dernier whisky.

Pourquoi s'était-il donné la peine d'amener Maigret à son bureau, où il s'était contenté de le laisser seul pendant un quart d'heure ?

— Vous ne trouvez pas qu'il fait plutôt froid ici ?

— Allons où vous voudrez.

— Je vous déposerai près de votre hôtel... Non, je n'y entrerai pas... Les gens du *desk* s'inquiéteraient en me voyant pénétrer chez eux... Mais je connais un petit bar...

Encore un petit bar, avec un phono mécanique dans un coin et une rangée d'hommes accoudés au

comptoir, seul à seul, buvant avec une morne obsti-
nation.

— Essayez un whisky quand même avant de vous
coucher... Vous verrez que c'est moins mauvais que
vous ne l'imaginez... Et cela a l'avantage de faire
travailler les reins... A propos...

Maigret comprit qu'O'Brien en arrivait enfin à
l'objet de cette dernière balade nocturne.

— Figurez-vous que, tout à l'heure, dans les couloirs, j'ai rencontré un camarade du service... Et,
comme par hasard, il m'a parlé de Little John...

» Remarquez qu'il n'a jamais eu affaire à lui offi-
ciellement... Ni ce camarade, ni aucun d'entre nous...
Vous comprenez?... Je vous assure que le respect de
la liberté individuelle est une belle chose... Quand vous
aurez compris cela, vous ne serez pas loin de comprendre l'Amérique et les Américains.

» Tenez... Un homme entre chez nous, un étranger,
un émigrant... Vous vous indignez, vous autres, Euro-
péens, ou vous vous moquez de nous, parce que nous
lui posons un tas de questions écrites, parce que nous
lui demandons, par exemple, s'il souffre de troubles
mentaux ou s'il est venu aux États-Unis avec l'intention d'attenter à la vie du Président de la République.

» Nous exigeons sa signature sous cette déclaration
qui vous paraît loufoque.

» Seulement, par la suite, nous ne lui demandons
plus rien... Les formalités pour entrer aux États-Unis
ont peut-être été longues et tatillonnes, mais du moins,
une fois terminées, notre homme est absolument
libre.

» Saisissez-vous?

» Tellement libre qu'à moins qu'il tue, qu'il vole
ou qu'il viole, nous n'avons plus le droit de nous
occuper de lui.

» Qu'est-ce que je disais ? »

Il y avait des moments où Maigret l'aurait giflé, à cause de cette fausse candeur, de cet humour dont il se sentait incapable de saisir les nuances.

— Ah! oui... Un exemple... C'est mon collègue, justement, qui, tout à l'heure, pendant que nous nous lavions tous les deux les mains, me racontait l'histoire... Il y a une trentaine d'années, deux hommes débarquaient d'un bateau venant d'Europe, comme vous l'avez fait ce matin... A cette époque-là, il en débarquait beaucoup plus qu'aujourd'hui, parce que nous avions besoin de main-d'œuvre... Il en venait dans la cale des bateaux, sur le pont... Ils sortaient surtout d'Europe centrale et orientale... Certains étaient si sales, si couverts de vermine, que nos services d'immigration étaient obligés de les passer à la lance de pompier... Je parie que vous allez prendre un autre *night cap* ?

Maigret était trop intéressé pour avoir seulement l'idée de refuser et il se contenta de bourrer une nouvelle pipe et de se reculer un peu, parce que son voisin de gauche lui enfonçait un coude dans les côtes.

— Il y en avait de toutes les sortes, voilà... Et ils ont eu des sorts différents. Certains, parmi ceux-là, sont aujourd'hui de grands magnats d'Hollywood... On en retrouve quelques-uns à Sing-Sing, mais il y en a aussi dans les bureaux du gouvernement, à Washington... Avouez que nous sommes réellement un très grand pays pour assimiler de la sorte le tout-venant que nous absorbons.

Était-ce le whisky ? Maigret commençait à voir John Maura, non plus sous les espèces d'un petit homme nerveux et volontaire, mais comme un symbole de l'assimilation américaine dont son interlocuteur lui parlait d'une voix lente et douce.

— Mon camarade me racontait donc...

But-il trois, quatre whiskies? Ils avaient déjà bu de l'armagnac, et avant l'armagnac deux bouteilles de beaujolais, et avant le beaujolais un certain nombre d'apéritifs.

« *J and J.* »

C'est ce dont il se souvenait le mieux quand il sombra enfin au plus profond de son lit, dans son appartement trop somptueux du *Saint-Régis*.

Deux Français, à une époque où l'on portait des faux cols raides à pointes cassées, des manchettes empesées et des souliers vernis, deux Français tout jeunes, qui avaient encore « le duvet » et qui débarquaient sans un sou, pleins d'espérance, l'un avec un violon sous le bras, l'autre avec une clarinette.

Lequel des deux avait une clarinette? Il ne parvenait plus à s'en souvenir. O'Brien à tête de mouton, O'Brien qui n'en était pas moins malicieux comme un singe, le lui avait dit.

Le violon, cela devait être Maura.

Et tous les deux étaient originaires de Bayonne ou des alentours. Et tous les deux avaient environ vingt ans.

Et ils avaient signé une déclaration sur la question du Président des États-Unis qu'ils s'engageaient à ne pas assassiner.

Drôle d'homme que le capitaine O'Brien qui l'emmenait dans un petit bar pour lui raconter tout cela, avec l'air de ne pas y toucher, de bavarder de choses absolument étrangères à son métier.

— L'un s'appelait Joseph et l'autre Joachim. C'est ce que mon camarade m'a raconté... Vous savez, il ne faut pas trop se fier aux histoires qu'on raconte... Nous, à la Police fédérale, cela ne nous regarde pas... C'était l'époque des cafés-concerts, de ce que vous

appelez à Paris les *bastringues*... Alors, pour gagner
leur vie, et bien qu'ils eussent tous les deux passé par
le Conservatoire, bien qu'ils eussent l'impression d'être
de grands musiciens, ils ont monté un numéro comique
sous le nom de *J and J.* Joseph et Joachim. Et tous
les deux espéraient se faire un jour une carrière de
virtuose ou de compositeur.

» C'est mon ami qui m'a expliqué cela. C'est sans
intérêt, évidemment. Seulement, je sais que vous vous
intéressez à la personnalité de Little John... Je crois
maintenant que ce n'était pas lui la clarinette...

» Barman... La même chose... »

Est-ce que le capitaine O'Brien était ivre ?

— *J and J*... répétait-il. Moi, mon prénom est
Michael... Vous savez, vous pouvez m'appeler Michael..
Ce n'est pas pour cela que je vous appellerai Jules,
car je sais que c'est votre prénom, mais que vous ne
l'aimez pas...

Que dit-il encore ce soir-là ?

— Vous ne connaissez pas le Bronx, Maigret...
Il faudra que vous connaissiez le Bronx... C'est un
endroit passionnant... Pas beau... Mais passionnant...
Je n'ai pas eu le temps de vous y conduire... Nous
sommes très occupés, vous savez. Findlay... 169ᵉ rue...
Vous verrez... C'est un quartier curieux... Il paraît
qu'il y a encore aujourd'hui, juste en face de la maison,
une boutique de tailleur... Ce sont des bavardages...
Des bavardages de mon collègue, et je me demande
encore pourquoi il m'a parlé de cela puisque cela ne
nous regarde pas... *J and J*... Ils faisaient un numéro
moitié comique, moitié musical, dans les cafés... Les
cafés chantants comme on disait alors... Et ce serait
curieux de savoir qui était le comique. Vous ne trouvez
pas ?

Maigret n'avait peut-être pas l'habitude du whisky,

mais il avait encore moins celle d'être pris pour un
enfant et il se sentit furieux quand il vit un chasseur
prendre place avec lui dans l'ascenseur du *Saint-
Régis* et s'assurer avec trop de sollicitude qu'il ne man-
quait de rien avant de se retirer.

C'était encore un coup de l'O'Brien à tête de mouton
et au sourire terriblement ironique.

3

Maigret dormait,
tout au fond d'un puits dans l'ouverture duquel un
géant roux se penchait en souriant et en fumant un
énorme cigare — pourquoi un cigare ? — quand une
sonnerie sournoise, méchante, amena d'abord quelques froncements sur son visage, comme la brise mati-
nale sur un lac trop uni. Tout le corps, par deux fois,
chavira d'un bord sur l'autre en entraînant les couver-
tures et enfin un bras se tendit, saisit la carafe avant
d'atteindre le téléphone, une voix grogna :

— Allô...

Assis sur son lit, mal assis, car il n'avait pas eu le
temps d'arranger l'oreiller et il était obligé de tenir
ce sacré téléphone, il avait déjà une certitude, une
certitude humiliante : c'est qu'en dépit des discours
sans doute ironiques du capitaine O'Brien sur les
vertus diurétiques du whisky, il avait mal à la tête.

— Maigret, oui... Qui est à l'appareil ?... Comment ?

C'était Mac Gill et cela n'avait rien d'agréable non
plus de se faire éveiller par ce type envers qui il ne

se sentait aucune sympathie. Surtout que l'autre reconnaissait à sa voix qu'il était encore au lit et se permettait de lui lancer :

— Couché tard, je parie? Est-ce qu'au moins... vous avez passé une bonne soirée?

Maigret cherchait des yeux sa montre qu'il avait l'habitude de poser sur la table de nuit et qui ne s'y trouvait pas. Il finit par apercevoir une horloge électrique encastrée dans la cloison et il écarquilla les yeux en constatant qu'elle marquait onze heures.

— Dites-moi, monsieur le commissaire... C'est de la part du patron que je vous téléphone... Il serait très heureux si vous pouviez passez le voir ce matin... Dès maintenant, oui... Je veux dire dès que vous aurez fait votre toilette. A tout de suite... Vous vous souvenez de l'étage, n'est-ce pas? Septième, tout au fond du couloir B... A tout de suite.

Il chercha partout un bouton de sonnette, comme en France, pour appeler le maître d'hôtel, le valet de chambre, n'importe qui, mais il ne trouva rien qui y ressemblât et un instant il eut le sentiment d'être perdu dans cet appartement ridiculement grand. Il pensa enfin au téléphone, dut répéter trois fois, dans son anglais approximatif :

— Je voudrais mon petit déjeuner, mademoiselle... Petit déjeuner, oui... Hein?... Vous ne comprenez pas?... Café...

Elle lui disait quelque chose qu'il n'arrivait pas à saisir.

— Je vous demande mon petit déjeuner!

Il crut qu'elle raccrochait, mais c'était pour le brancher sur une autre ligne où une nouvelle voix récitait :

— *Room-service...*

C'était tout simple, évidemment, mais encore

fallait-il le savoir et, sur le moment, il en voulut à toute l'Amérique de n'avoir pas eu l'idée élémentaire d'installer des boutons de sonnerie dans les chambres d'hôtel.

Pour comble, il était dans son bain quand on frappa à la porte et il eut beau gueuler : « Entrez », on frappait toujours. Force lui fut, tout mouillé qu'il était, d'enfiler sa robe de chambre, d'aller ouvrir, car il avait mis le verrou. Qu'est-ce que le maître d'hôtel attendait ? Bon, il lui fallait signer une fiche. Mais quoi encore ? Car l'autre attendait toujours et Maigret finit par comprendre que c'était son pourboire qu'il voulait. Et ses vêtements étaient en tas par terre !

Il était à cran quand, une demi-heure plus tard, il frappait à la porte de l'appartement de Little John. Mac Gill l'accueillait, toujours aussi élégant, tiré à quatre épingles, mais le commissaire eut l'impression qu'il n'avait pas beaucoup dormi, lui non plus.

— Entrez... Asseyez-vous un instant... Je vais avertir le patron que vous êtes ici.

On le sentait préoccupé. Il ne se donnait pas la peine de se mettre en frais. Il ne prenait pas garde à Maigret et il sortait de la pièce en laissant la porte grande ouverte.

La seconde pièce était un salon qu'il traversait. Puis une chambre très vaste. Et Mac Gill marchait toujours, frappait à une dernière porte. Maigret n'eut pas le temps de bien voir. Ce qui le frappa, pourtant, après l'enfilade de chambres luxueuses, ce fut une impression de pauvreté. C'est surtout par la suite qu'il y pensa, qu'il s'efforça de reconstituer le spectacle qu'il avait eu un instant sous les yeux.

Il aurait juré que la chambre dans laquelle le
secrétaire pénétrait en dernier lieu ressemblait davantage à une chambre de domestique qu'à une
chambre du *Saint-Régis*. Est-ce que Little John
n'était pas assis devant une table en bois blanc et
n'était-ce pas un lit de fer que Maigret apercevait
derrière lui ?

Quelques mots échangés à mi-voix et les deux
hommes s'en venaient l'un derrière l'autre, Little
John toujours nerveux, les mouvements nets, avec,
eût-on dit, en réserve, une prodigieuse énergie qu'il
était obligé de contenir.

Lui non plus, en entrant dans le bureau, ne se
mit pas en frais, et, cette fois, il n'eut pas l'idée
d'offrir un de ses fameux cigares à son visiteur.

Il alla s'asseoir devant la table d'acajou, à la
place que Mac Gill occupait tout à l'heure, et celui-
ci, désinvolte, s'installa dans un fauteuil et croisa
les jambes.

— Je m'excuse, monsieur le commissaire, de
vous avoir dérangé, mais j'ai pensé qu'une conversation entre nous était nécessaire.

Il leva enfin les yeux sur Maigret, des yeux qui
n'exprimaient rien, ni sympathie, ni antipathie,
ni impatience. Sa main, qu'il avait fine et d'une
blancheur étonnante chez un homme, jouait avec
un coupe-papier d'écaille.

Il portait un costume bleu marine de coupe anglaise,
une cravate sombre sur du linge blanc. Cela mettait
en valeur ses traits fins, très dessinés, et Maigret
remarqua qu'il aurait été difficile de lui donner un âge.

— Je suppose que vous n'avez aucune nouvelle
de mon fils ?

Il n'attendait pas la réponse et poursuivait d'une
voix neutre, comme on parle à un subalterne :

— Lorsque vous êtes venu me voir hier, je n'ai pas eu la curiosité de vous poser certaines questions. Si j'ai bien compris, vous êtes venu de France en compagnie de Jean et vous m'avez donné à entendre que c'était mon fils qui vous avait prié de faire la traversée...

Mac Gill fumait une cigarette et regardait tranquillement la fumée monter vers le plafond. Little John jouait toujours avec le coupe-papier, fixant Maigret comme sans le voir.

— Je ne pense pas qu'après avoir quitté la Police judiciaire vous ayez ouvert une agence de police privée. D'autre part, étant donné ce que tout le monde sait de votre caractère, il m'est difficile de croire que vous vous soyez embarqué à la légère dans une aventure de ce genre. Je suppose, monsieur le commissaire, que vous me comprenez ? Nous sommes des hommes libres dans un pays libre. Hier, vous vous êtes introduit ici pour me parler de mon fils. Le soir même, vous preniez contact avec un fonctionnaire de la Police fédérale afin de vous renseigner à mon sujet...

Autrement dit, les deux hommes étaient déjà au courant de ses allées et venues et de son entrevue avec O'Brien. Est-ce qu'ils l'avaient fait suivre ?

— Permettez-moi de vous poser une première question : sous quel prétexte mon fils vous a-t-il demandé votre aide ?

Et, comme Maigret ne répondait pas, comme Mac Gill paraissait sourire avec ironie, Little John poursuivait, nerveux, coupant :

— Les commissaires à la retraite n'ont pas pour habitude de servir de chaperons aux jeunes gens en voyage. Je vous demande encore une fois : qu'est-ce que mon fils vous a raconté pour vous décider à quitter la France et à traverser l'Atlantique avec lui ?

Ne le faisait-il pas exprès de se montrer méprisant, et n'espérait-il pas ainsi mettre Maigret hors de ses gonds ?

Seulement, il se passait ceci : c'est que Maigret devenait plus calme et plus lourd à mesure que l'autre parlait. Plus lucide aussi.

Si lucide — et cela se sentait tellement dans son regard — que la main qui tenait le coupe-papier commençait à manier celui-ci avec des mouvements saccadés. Mac Gill, qui avait tourné la tête vers le commissaire, oubliait sa cigarette et attendait.

— Si vous le permettez, je répondrai à votre question par une autre question. Savez-vous où est votre fils ?

— Je l'ignore et ce n'est pas ce qui importe à présent. Mon fils est libre de faire ce qui lui plaît, comprenez-vous ?

— Donc, vous savez où il se trouve.

Ce fut Mac Gill qui tressaillit et qui se tourna vivement vers Little John avec une expression dure dans le regard.

— Je vous répète que je n'en sais rien et que cela ne vous regarde pas...

— Dans ce cas, nous n'avons plus rien à nous dire.

— Un instant...

Le petit homme s'était levé précipitamment et, tenant toujours le coupe-papier à la main, s'était élancé entre Maigret et la porte.

— Vous semblez oublier, monsieur le commissaire, que vous êtes ici en quelque sorte à mes frais... Mon fils est mineur... Je ne suppose pas qu'il vous ait laissé faire les frais du voyage que vous avez entrepris sur sa demande...

Pourquoi Mac Gill paraissait-il furieux contre son patron? Il était évident que la tournure de l'entretien ne lui plaisait pas. Et, d'ailleurs, il ne se gêna pas pour intervenir.

— Je crois que la question n'est pas là et que vous blessez inutilement le commissaire...

Les deux hommes échangeaient un regard que Maigret notait à tout hasard, incapable qu'il était de l'analyser sur-le-champ, mais en se promettant bien de le comprendre plus tard.

— Il est évident, continuait Mac Gill, qui se levait à son tour et qui arpentait la pièce avec plus de calme que Little John, il est évident que votre fils, pour une raison que nous ignorons, que vous n'ignorez peut-être pas...

Tiens! tiens! C'était à son patron qu'il lançait ces mots lourds de sous-entendus?

— ... a cru devoir faire appel à une personnalité connue pour sa perspicacité en matière criminelle...

Maigret restait assis. C'était curieux de les voir tous les deux, si différents l'un de l'autre. A croire, par instants, que c'était entre eux deux et non avec Maigret que la partie se jouait.

Car Little John, si coupant au début, laissait parler son secrétaire de trente ans plus jeune que lui. Et il ne paraissait pas le faire de bon cœur. Il était humilié, c'était évident. Il cédait la place à regret.

— Étant donné que votre fils ne se préoccupe que d'une seule et unique personne, de son père, étant donné qu'il est accouru à New-York sans vous prévenir... du moins je le suppose...

Une flèche, à n'en pas douter.

— ... il y a tout lieu de croire qu'il a reçu à votre sujet des nouvelles inquiétantes. Reste à savoir

qui lui a mis cette inquiétude dans la tête. Ne trou-
vez-vous pas, monsieur le commissaire, que c'est
tout le problème ? Résumons la question avec le plus
de simplicité possible... Vous vous alarmez de la
disparition assez inexplicable d'un jeune homme
au moment de son débarquement à New-York.
Sans être versé dans les questions policières, en n'usant
que de mon simple bon sens, je dis :

» — *Lorsque nous saurons. qui a fait venir Jean
Maura à New-York, autrement dit qui lui a câblé
je ne sais quoi au sujet des dangers courus par son
père — car, autrement, il n'était pas besoin de se faire
accompagner par un policier, veillez excuser le mot —
lorsque cela sera établi, il ne sera sans doute pas difficile
de savoir qui l'a fait disparaître...* »

Little John, pendant cette tirade, était allé se
camper devant la fenêtre et, écartant le rideau d'une
main, il regardait dehors. Sa silhouette présentait
des lignes sèches comme son visage. Et Maigret se
surprit à penser : clarinette ? violon ?... Lequel des
deux *J* représentait cet homme dans le numéro
de burlesque de jadis ?

— Dois-je comprendre, monsieur le commissaire,
que vous refusez de répondre ?

Alors, Maigret, à tout hasard :

— J'aimerais avoir un entretien en tête à tête
avec M. Maura.

Celui-ci tressaillit et se retourna tout d'une pièce.
Son premier regard fut pour son secrétaire qui paraissait suprêmement indifférent.

— Je vous ai déjà dit, je pense, que vous pouviez
parler devant Mac Gill...

— Dans ce cas, veuillez m'excuser si je n'ai rien
à vous dire.

Or Mac Gill ne proposait pas de sortir. Il restait là, sûr de lui, comme un homme qui se sait à sa place.

Est-ce que c'était le petit homme qui allait perdre son sang-froid ? Il y avait quelque chose dans ses yeux froids qui ressemblait à de l'exaspération, mais qui ressemblait aussi à autre chose.

— Écoutez-moi, monsieur Maigret... Il faut en finir et nous allons le faire en quelques mots... Parlez ou ne parlez pas, cela m'est égal, car ce que vous pourriez avoir à me dire ne m'intéresse que médiocrement... Un gamin, inquiet pour des raisons que j'ignore, est allé vous trouver et vous vous êtes jeté tête baissée dans une aventure où vous n'aviez que faire... Ce gamin est mon fils... Il est mineur. S'il a disparu, cela ne regarde que moi, et, si j'ai à faire appel à quelqu'un pour le rechercher, ce sera à la police de ce pays... Je suppose que je parle assez net ?

» Nous ne sommes pas en France et, jusqu'à nouvel ordre, mes allées et venues ne regardent personne... Je ne permettrai donc à personne de s'occuper de moi et, s'il le faut, je ferai le nécessaire pour que ma liberté pleine et entière soit respectée.

» J'ignore si mon fils vous a laissé ce que l'on appelle des provisions. Au cas où il n'y aurait pas pensé, veuillez me le dire et mon secrétaire vous remettra un chèque couvrant vos frais de déplacement jusqu'en France. »

Pourquoi lançait-il un petit coup d'œil à Mac Gill comme pour savoir si celui-ci approuvait ?

— J'attends votre réponse.

— A quel sujet ?

— Au sujet du chèque.

— Je vous remercie.

— Un dernier mot, si vous le permettez... Il vous

est loisible, évidemment, de rester le temps qu'il
vous plaira dans cet hôtel, où je ne suis qu'un client
comme les autres. Qu'il me suffise de vous dire que
cela me serait extrêmement désagréable de vous rencontrer à tout moment dans le hall, dans les couloirs
ou dans les ascenseurs... Je vous salue, monsieur le
commissaire.

Celui-ci, toujours assis, vida lentement sa pipe
dans un cendrier qui se trouvait sur un guéridon
à portée de sa main. Puis il prit le temps de bourrer
une nouvelle pipe froide qu'il prit dans sa poche,
de l'allumer, en regardant tour à tour les deux hommes.

Enfin, il se leva, il eut l'air de déployer sa taille,
sa stature, et il paraissait plus grand, plus large
que d'habitude.

— Je vous salue, dit-il simplement, d'une voix
si inattendue que le coupe-papier se brisa net entre
les doigts de Little John.

Il lui sembla que Mac Gill avait l'intention de
parler encore, de l'empêcher de sortir tout de suite,
mais il tourna le dos, tranquillement, marcha vers
la porte et s'éloigna le long du couloir.

C'est seulement quand il se trouva dans l'ascenseur
que son mal de tête lui revint et que le whisky de
la veille se rappela à lui sous forme de nausée.

**

— Allô... Le capitaine O'Brien ?... Ici, Maigret.
Il souriait. Il fumait sa pipe à petites bouffées
tout en regardant autour de lui le papier à fleurs
un peu fané qui recouvrait les murs de la chambre.

— Comment ?... Non, je ne suis plus au *Saint-
Régis*... Pourquoi ?... Pour plusieurs raisons, dont
la plus importante est que je ne m'y sentais pas
très à mon aise. Vous comprenez ça ? Tant mieux.

Mais oui, j'ai trouvé un hôtel. Le *Berwick*. Vous
ne connaissez pas? Je ne sais plus le numéro de la
rue. Je n'ai jamais eu la mémoire des chiffres et vous
êtes ennuyeux comme tout avec vos rues numérotées.
Comme si vous ne pouviez pas dire rue Victor-Hugo,
rue Pigalle ou rue du Président je ne sais qui...

» Allô!... Vous voyez Broadway? Je ne sais pas
à quelle hauteur, il y a un cinéma qui s'appelle le
Capitol. Bon. Eh bien! c'est la première ou la seconde
rue à gauche. Un petit hôtel qui ne paie pas de mine
et où je soupçonne qu'on ne loue pas seulement des
chambres à la nuit... Vous dites? C'est interdit à
New-York? Tant pis! »

Il était de bonne humeur, et même d'humeur
enjouée, sans raison bien précise, peut-être simplement parce qu'il se retrouvait dans une atmosphère
qui lui était familière.

D'abord, il aimait ce coin bruyant et un peu vulgaire de Broadway qui lui rappelait à la fois Montmartre et les Grands Boulevards de Paris. Le bureau
de l'hôtel était presque miteux et il n'y avait qu'un
seul ascenseur. Encore le préposé était-il un petit
bonhomme boiteux!

Par la fenêtre, on voyait les enseignes lumineuses
s'allumer et s'éteindre.

— Allô!... O'Brien?... Figurez-vous que j'ai encore
besoin de vous... N'ayez pas peur... Je respecte scru-
puleusement toutes les libertés de la libre Amérique...
Comment?... Mais non... Je vous assure que je suis
tout à fait incapable d'ironie... Figurez-vous que je
voudrais recourir, moi aussi, aux services d'un policier
privé...

Le capitaine, à l'autre bout du fil, se demandait
s'il plaisantait et, après avoir grommelé quelques
syllabes, prenait le parti d'éclater de rire.

— Ne riez pas... Je suis tout à fait sérieux... J'ai
bien un détective à ma disposition... Je veux dire
que j'en ai un, depuis midi, sur les talons... Mais
non, cher ami, je ne mets pas en cause la police officielle... Qu'est-ce que vous avez aujourd'hui à être
si chatouilleux ?... Je parle du prénommé Bill... Oui,
cette espèce de boxeur au menton fendu qui nous
a accompagnés hier, Mac Gill et moi, dans nos péré-
grinations... Eh bien, il est toujours là, à cette différence que, comme les valets de l'ancien temps, il
marche à dix mètres derrière moi... Si je me penchais
à la fenêtre, je l'apercevrais certainement devant
la porte de l'hôtel... Il ne se cache pas, non... Il me
suit, c'est tout... J'ai même l'impression qu'il est un
peu gêné et que parfois il a envie de me saluer...

» Comment ?... Pourquoi je veux un détective ?...
Riez tant que vous voudrez... J'admets que c'est
assez drôle... N'empêche que, dans votre satané
pays où les gens ne daignent comprendre mon anglais
que quand je leur ai répété quatre ou cinq fois la
même phrase et complété mon explication par des
gestes, je ne serais pas fâché d'avoir l'aide de quelqu'un
pour quelques petites recherches que je désire entre-
prendre...

» Surtout, de grâce, que votre homme parle le
français !... Vous avez ça sous la main ?... Vous allez
téléphoner ?... Mais oui, dès ce soir... Je suis d'attaque,
parfaitement, malgré vos whiskies... Il est vrai que
j'ai inauguré ma nouvelle chambre du *Berwick* en
m'offrant près de deux heures de sieste...

» Dans quels milieux je veux faire des recherches ?...
Je croyais que vous l'auriez deviné... Mais oui... C'est
ça...

» J'attends votre coup de téléphone... A tout de
suite... »

Il alla ouvrir la fenêtre et aperçut, comme il le prévoyait, le prénommé Bill qui mâchait son *chewing-gum* à une vingtaine de mètres de l'hôtel et qui n'avait pas l'air de s'amuser.

La chambre était banale à souhait, avec tout ce qu'il faut de vieilleries et de tapis douteux pour qu'on pût se croire dans un meublé de n'importe quelle ville du monde.

Dix minutes ne s'étaient pas écoulées que la sonnerie du téléphone se faisait entendre. C'était O'Brien qui annonçait à Maigret qu'il lui avait trouvé un détective, un certain Ronald Dexter, et qui lui recommandait de ne pas trop le laisser boire.

— Parce qu'il a le whisky mauvais ? questionnait le commissaire.

Et O'Brien de répondre avec une douceur angélique :

— Parce qu'il pleure...

Et ce n'était pas une boutade de l'homme roux à tête de mouton. Même quand il n'avait pas bu, Dexter donnait l'impression d'un homme qui promène dans la vie un chagrin incommensurable.

Il vint à l'hôtel à sept heures du soir. Maigret le rencontra dans le hall au moment où le détective s'informait de lui au bureau.

— Ronald Dexter ?

— C'est moi...

Et il avait l'air de prononcer :

« Hélas ! »

— Mon ami O'Brien vous a mis au courant ?

— Chut !

— Pardon ?

— Pas de noms propres, s'il vous plaît... Je suis à votre disposition... Où voulez-vous que nous allions ?

— Dehors, pour commencer... Vous connaissez

ce monsieur qui a l'air de s'intéresser vivement aux passants et qui mâche de la gomme?... C'est Bill... Bill qui? je n'en sais rien... Je ne connais que son prenom, mais ce que je sais, c'est que c'est un de vos confrères qu'on a chargé de me suivre... Ceci dit pour que vous ne vous inquiétiez pas de ses allées et venues... Cela n'a aucune importance, vous comprenez?... Il peut nous suivre autant qu'il le voudra...

Dexter comprenait ou ne comprenait pas. En tout cas, il prenait un air résigné et semblait dire au ciel :

« Cela ou autre chose! »

Il devait avoir une cinquantaine d'années et ses vêtements gris, son *trench-coat* plus que fatigué ne plaidaient pas en faveur de sa prospérité.

Les deux hommes marchaient vers Broadway, dont ils n'étaient éloignés que d'une centaine de mètres, et Bill leur emboîtait imperturbablement le pas.

— Vous connaissez les milieux de théâtre?

— Un peu.

— Plus exactement les milieux de music-hall et de café-concert?

Alors, Maigret eut la mesure de l'humour en même temps que du sens pratique d'O'Brien, car son interlocuteur soupira :

— J'ai été clown pendant vingt ans.

— Un clown triste, sans doute? Si vous voulez, nous allons entrer dans un bar et prendre un verre.

— Je veux bien.

Puis, avec une simplicité désarmante :

— Je croyais qu'on vous avait prévenu?

— De quoi?

— Je supporte mal la boisson. Enfin! Un seul verre, n'est-ce pas?

Ils s'assirent dans un coin, tandis que Bill pénétrait lui aussi dans le bar et s'installait au comptoir.

Maigret expliquait :

— Si nous étions à Paris, je trouverais tout de suite le renseignement que je cherche, car nous avons, aux environs de la Porte Saint-Martin, un certain nombre de boutiques qui datent d'une autre époque... Dans les unes, on vend des chansons populaires et on peut encore s'y procurer aujourd'hui celles qui se chantaient à tous les carrefours en 1900 ou en 1910... Dans une autre que je connais, celle d'un posticheur, on trouve tous les modèles de barbes, de moustaches, de perruques qu'ont portés les acteurs depuis les temps les plus reculés... Et il y a enfin, dans des endroits miteux, des bureaux où des impresarios invraisemblables organisent des tournées pour petites villes de province...

Pendant qu'il parlait, Ronald Dexter regardait son verre d'un œil profondément mélancolique.

— Vous me comprenez ?

— Oui, monsieur.

— Bon. Sur les murs de ces bureaux, il ne serait pas difficile de retrouver les affiches de numéros de café-concert qui ont eu la vogue il y a trente ou quarante ans... Et sur les banquettes des salles d'attente, dix vieux cabots ou anciennes gommeuses...

Il s'interrompit. Il dit :

— Je vous demande pardon.

— De rien.

— Je veux dire que des acteurs, des chanteurs, des chanteuses qui ont aujourd'hui soixante-dix ans et plus viennent encore solliciter un engagement. Ces gens-là ont une mémoire prodigieuse, surtout en ce qui concerne l'époque de leurs succès. Eh bien ! monsieur Dexter...

— Tout le monde m'appelle Ronald.

— Eh bien! je me demande s'il existe à New-York l'équivalent de ce que je viens de vous expliquer.

L'ancien clown prit le temps de réfléchir, les yeux toujours fixés sur son verre auquel il n'avait pas encore touché. Enfin, il questionna avec le plus grand sérieux :

— Ils faut qu'ils soient vraiment très vieux?

— Que voulez-vous dire?

— Il faut que ce soient vraiment de très vieux cabots? Vous avez parlé de soixante-dix ans et plus. Pour ici, c'est beaucoup, parce que, voyez-vous, on meurt plus vite.

Sa main se tendit vers le verre, revint, se tendit à nouveau et, enfin, il avala l'alcool d'un trait.

— Il existe des endroits... Je vous montrerai...

— Il ne s'agit de remonter qu'à une trentaine d'années. A cette époque-là, deux Français, sous le nom de *J and J*, faisaient un numéro musical dans les cafés-concerts.

— Vous dites trente ans? Je crois que c'est possible. Et vous voudriez savoir?

— Tout ce que vous pourrez apprendre sur leur compte. J'aimerais aussi obtenir une photographie. Les artistes se font beaucoup photographier. Leur image paraît sur les affiches, sur les programmes.

— Et vous avez l'intention de m'accompagner?

— Pas ce soir. Pas tout de suite.

— Cela vaut mieux. Parce que, n'est-ce pas? vous risquez d'effaroucher les gens. Ils sont très susceptibles, vous savez. Si vous voulez, j'irai vous voir demain à votre hôtel, ou bien je vous téléphonerai. Est-ce que c'est très pressé? Je peux commencer dès ce soir. Mais il faudrait...

Il hésita, baissa la voix.

— Il faudrait que vous me donniez de quoi payer quelques tournées, entrer dans certains endroits.

Maigret tira son portefeuille de sa poche.

— Oh! j'aurai assez avec dix dollars. Parce que, si vous m'en donnez davantage, je les dépenserai. Et, quand j'aurai fini votre travail, il ne me restera plus rien... Vous n'avez plus besoin de moi, maintenant?

Le commissaire secoua la tête. Il avait pensé un instant dîner en compagnie de son clown, mais celui-ci se révélait par trop irrémédiablement lugubre.

— Cela ne vous ennuie pas que ce type-là vous suive?

— Qu'est-ce que vous feriez, si cela m'ennuyait?

— Je pense qu'en lui offrant un peu plus que ceux qui l'emploient...

— Il ne me gêne pas.

Et c'était vrai. C'était presque une distraction pour Maigret de sentir l'ancien boxeur sur ses talons.

Il dîna ce soir-là, dans une cafeteria brillamment éclairée de Broadway où on lui servit d'excellentes saucisses, mais où il fut vexé de n'obtenir que du coca-cola en guise de bière.

Puis, vers neuf heures, il héla un taxi.

— Au coin de Findlay et de la 169ᵉ rue.

Le chauffeur soupira, baissa son drapeau d'un air résigné et Maigret ne comprit son attitude qu'un peu plus tard, quand la voiture quitta les quartiers brillamment éclairés pour pénétrer dans un monde nouveau.

Bientôt, le long des rues rectilignes, interminables, on ne vit plus guère circuler que des gens de couleur. C'était Harlem qu'on traversait, avec ses maisons toutes pareilles les unes aux autres, ses blocs de briques sombres qu'enlaidissaient par surcroît, zigzaguant sur les façades, les escaliers de fer pour les cas d'incendie.

On franchissait un pont, beaucoup plus tard, on

frôlait des entrepôts ou des usines — il était difficile
de distinguer dans l'obscurité, — et c'était, dans le
Bronx, de nouvelles avenues désolées, avec parfois
les lumières jaunes, rouges ou violettes d'un cinéma de
quartier, les vitrines d'un grand magasin encombrées de
mannequins de cire aux poses figées.

On roula plus d'une demi-heure et les rues devenaient
toujours plus sombres, plus désertes, jusqu'à ce qu'enfin le chauffeur arrêtât sa machine et se retournât en
laissant tomber d'un ton dédaigneux :

— Findlay.

La 169ᵉ rue était là, sur la droite. Mais il fallut
parlementer longtemps pour décider le chauffeur à
attendre. Encore ne se résigna-t-il pas à rester au
carrefour, mais, quand Maigret se mit en marche le
long du trottoir, roula-t-il tout doucement derrière lui.

Et un second taxi roulait de même au ralenti,
le taxi de Bill, le détective-boxeur, sans doute, qui,
lui, ne se donnait pas la peine de descendre de voiture.

Dans la perspective noire, on voyait se découper le
rectangle de quelques boutiques comme il en existe
dans les quartiers pauvres de Paris et de toutes les
capitales.

Qu'est-ce que Maigret était venu faire ici ? Rien
de précis. Est-ce qu'il savait seulement ce qu'il était
venu faire à New-York ? Et pourtant, depuis quelques
heures, depuis le moment, en somme, où il avait quitté
le *Saint-Régis*, il ne se sentait plus dépaysé. Le *Berwick*, déjà, l'avait réconcilié avec l'Amérique, peut-
être à cause de son odeur d'humanité, et maintenant,
il imaginait toutes les vies tapies dans les alvéoles
de ces cubes de briques, toutes les scènes qui se dérou-
laient derrière les stores.

Little John ne l'avait pas impressionné, ce n'était pas
le mot, mais Little John n'en était pas moins comme

une entité, quelque chose, en tout cas, de fabriqué, d'artificiel.

Mac Gill aussi, peut-être encore davantage.

Et même le jeune homme, Jean Maura, avec ses frayeurs et l'approbation du vieux monsieur d'Hoquélus.

Et la disparition au moment où le paquebot touchait enfin à New-York...

Tout cela, en somme, n'avait pas d'importance. C'est le mot que Maigret eût prononcé si O'Brien eût été là en ce moment, avec son sourire épars sur son visage de roux criblé de petite vérole.

Une réflexion, en passant, tandis qu'il marchait les mains dans les poches, la pipe aux dents. Pourquoi sont-ce le plus souvent les roux qui sont marqués de petite vérole et pourquoi, presque invariablement, sont-ce des gens sympathiques ?

Il reniflait. Il humait l'air où traînaient comme de vagues relents de mazout et de médiocrité. Est-ce qu'il y avait de nouveaux *J and J* dans quelques-unes de ces alvéoles ? Sûrement oui! Des jeunes gens débarqués de quelques semaines à peine et qui attendaient, les dents serrées, l'heure glorieuse du *Saint-Régis*.

Il cherchait une boutique de tailleur. Deux taxis le suivaient comme une procession. Et il était sensible à ce que cette situation avait de cocasse.

Deux jeunes gens, un jour, à une époque où l'on portait encore des faux cols raides et des manchettes en forme de cylindre — Maigret en avait eu de lavables, en caoutchouc ou en toile caoutchoutée, il s'en souvenait encore — deux jeunes gens avaient habité cette rue, en face d'une boutique de tailleur.

Or un autre jeune homme, voilà quelques jours, avait eu peur pour la vie de son père.

Et ce jeune homme, avec qui Maigret conversait

quelques minutes plus tôt sur le pont du navire, avait disparu.

Le commissaire cherchait la boutique du tailleur. Il regardait les fenêtres des maisons, souvent barrées par ces ignobles escaliers de fer qui s'arrêtaient en haut du rez-de-chaussée.

Une clarinette et un violon...

Pourquoi collait-il le nez, comme quand il était gosse, à la vitrine d'une de ces boutiques où l'on vend de tout, des légumes, de l'épicerie et des bonbons ? Juste à côté de cette boutique, il y en avait une autre, qui n'était pas éclairée, mais qui n'avait pas de volets et à travers la vitre de laquelle on voyait, grâce aux rayons d'un réverbère proche, une machine à presser et des complets qui pendaient sur des cintres.

« Arturo Giacomi. »

Les deux taxis le suivaient toujours, stoppaient à quelques mètres de lui et ni les chauffeurs, ni cette brute épaisse de Bill ne se doutaient du contact que cet homme au lourd pardessus, à la pipe vissée entre les dents, prenait, en se retournant vers la maison d'en face, avec deux Français de vingt ans qui avaient débarqué jadis, l'un avec son violon sous le bras, l'autre avec sa clarinette.

CHAPITRE

4

IL S'EN FALLAIT DE
peu, ce matin-là, pour qu'un homme vive ou meure,
pour qu'un crime répugnant ne soit pas commis, et ce
peu c'était une question de quelques minutes en plus
ou en moins dans l'emploi du temps de Maigret.

Malheureusement, il l'ignorait. Pendant les trente
années passées à la Police judiciaire, il avait l'habitude,
lorsqu'une enquête ne le retenait pas la nuit dehors,
de se lever vers sept heures du matin et il aimait par-
courir à pied le chemin assez long séparant le boulevard Richard-Lenoir, où il habitait, du quai des
Orfèvres.

Au fond malgré son activité, il avait toujours été
un flâneur. Et, une fois à la retraite, dans sa maison
de Meung-sur-Loir, il s'était levé plus tôt encore,
souvent, l'été, avant le soleil qui le trouvait debout
dans son jardin.

A bord, aussi, il était presque toujours le premier
à arpenter le pont, alors que les matelots s'activaient
à laver celui-ci à grande eau et à astiquer les cuivres
des rembardes.

Or, le premier matin de New-York, parce qu'il avait trop bu avec le capitaine O'Brien, il s'était levé à onze heures.

Le second jour, dans sa chambre du *Berwick*, il commença par s'éveiller de bonne heure, parce que c'était son habitude. Mais, justement parce qu'il était trop tôt, parce qu'il sentait les rues vides, les volets encore clos, il décida de se rendormir.

Et il se rendormit pesamment. Lorsqu'il ouvrit les yeux, il était passé dix heures du matin. Pourquoi se trouva-t-il dans l'état d'esprit des gens qui ont travaillé toute la semaine et pour qui le grand bonheur du dimanche est de faire la grasse matinée?

Il traîna. Il mit une éternité à déguster son petit déjeuner. Il alla fumer, en robe de chambre, une première pipe à sa fenêtre et il fut étonné de ne pas apercevoir Bill dans la rue.

Il est vrai que le détective-boxeur avait dû dormir, lui aussi. S'était-il fait remplacer pendant ces heures-là? Étaient-ils deux à se relayer derrière Maigret?

Il se rasa minutieusement et consacra encore un bout de temps à mettre de l'ordre dans ses affaires.

Or c'était de toutes ces minutes-là, si banalement gaspillées, que la vie d'un homme dépendait.

Au moment où Maigret descendait dans la rue, il était encore temps, à la rigueur. Bill n'était décidément pas là et le commissaire n'apercevait personne paraissant chargé de le suivre. Un taxi passait à vide. Il leva le bras machinalement. Le chauffeur ne le vit pas et, au lieu de chercher un autre taxi, Maigret décida de marcher un peu.

C'est ainsi qu'il découvrit la Cinquième Avenue et ses magasins de luxe aux vitrines desquels il s'arrêta. Il resta longtemps à contempler des pipes, se décida à en acheter une, bien qu'à l'ordinaire ce fût le cadeau de Mme Maigret à chaque fête et à chaque anniversaire.

Un détail ridicule encore, saugrenu. La pipe coûtait très cher. En sortant du magasin, Maigret se souvint du prix qu'il avait payé le taxi la veille au soir et il se promit d'économiser cette somme ce matin-là.

Voilà pourquoi il prit le *subway* dans lequel il perdit un temps considérable avant de trouver le carrefour de Findlay.

Le ciel était d'un gris dur, lumineux. Le vent soufflait encore, mais plus en tempête. Maigret tourna l'angle de la 169e rue et eut aussitôt le sentiment de la catastrophe.

Là-bas, à deux cents mètres de lui environ, il y avait un rassemblement devant une porte et, bien qu'il connût mal l'endroit, bien qu'il ne l'eût vu que de nuit, il avait la quasi-certitude que c'était en face de la boutique du tailleur italien.

Tout ou presque tout, d'ailleurs, dans la rue, dans le quartier, était italien. Les enfants qu'on voyait jouer sur les seuils des maisons avaient les cheveux noirs et ces visages trop éveillés, ces longues jambes bronzées des gamins de Naples ou de Florence.

Sur la plupart des boutiques, c'étaient des noms italiens qui s'étalaient et les vitrines étaient remplies de mortadelles, de pâtes et de salaisons qui venaient des bords de la Méditerranée.

Il allongeait le pas. Vingt ou trente personnes formaient grappe sur le seuil du tailleur qu'un constable défendait contre l'envahissement et toute une marmaille plus ou moins pouilleuse grouillait autour de ce groupe.

Cela sentait l'accident, le drame sordide qui éclate tout à coup dans la rue et qui burine le visage des passants.

— Que s'est-il passé ? demanda-t-il à un gros homme

en chapeau melon qui se tenait au dernier rang et se hissait sur la pointe des pieds.

Bien qu'il eût employé l'anglais, l'homme se contenta de l'examiner curieusement, puis de détourner la tête en haussant les épaules.

Il entendait des bribes de phrases, les unes en italien, les autres en anglais.

— ... Juste au moment où il traversait la rue...

— ... tous les matins, à la même heure, depuis des années et des années, il faisait sa promenade... Voilà quinze ans que je suis dans le quartier et je l'ai toujours vu...

— ... Sa chaise est encore là...

A travers la vitre du magasin, on apercevait la presse à vapeur sur laquelle un complet restait étalé et, plus près, contre la glace, une chaise à fond de paille, à siège assez bas, qui était celle du vieil Angelino.

Car Maigret commençait à comprendre. Patiemment, avec cette adresse des gros, il se faufilait peu à peu au cœur de la foule et il raccordait ensemble les brides de phrases qu'il surprenait.

Il y avait cinquante ans et sans doute davantage qu'Angelino Giacomi était venu de Naples et s'était installé dans cette boutique, bien avant l'invention des presses à vapeur. C'était presque l'ancêtre de la rue, du quartier, et, lors des élections municipales, il n'y avait pas un candidat qui ne lui rendît visite.

Son fils Arturo, maintenant, avait pris sa suite et ce fils avait près de soixante ans, était lui-même père de sept ou huit enfants dont la plupart étaient mariés.

En hiver, le vieil Angelino passait ses journées assis sur cette chaise à fond de paille, dans la devanture dont il avait l'air de faire partie, à fumer du matin au soir de ces cigares italiens mal façonnés, en tabac noir, qui répandent une odeur âcre.

Et, dès le printemps, de même qu'on assiste au retour des hirondelles, on voyait, d'un bout de la rue à
l'autre, le vieil Angelino installer sa chaise sur le
trottoir, à côté de la porte.

A présent, il était mort ou mourant, Maigret ne
savait pas encore au juste. Différentes versions cir-
culaient à ce sujet autour de lui, mais bientôt on entendit la sirène caractéristique des voitures d'ambulance
et une auto à croix rouge stoppa au bord du trottoir.

Il y eut des remous dans la foule qui se fendit lentement et que deux hommes en blouse blanche traver-
sèrent pour entrer dans la boutique, d'où ils ressor-
tirent quelques instants plus tard, portant une civière
sur laquelle on ne voyait rien qu'un corps recouvert
d'un drap.

Puis la portière arrière se referma. Un homme sans
faux col, Giacomi le fils, sans doute, qui s'était contenté de passer un veston sur ses vêtements de travail,
monta à côté du chauffeur et l'ambulance s'éloigna.

— Il est mort? demandait-on au constable toujours en faction.

Celui-ci n'en savait rien. Cela lui était égal. Ce
n'était pas son métier de s'occuper de ces détails.

Une femme pleurait dans la boutique, ses cheveux
gris défaits lui tombant sur le visage, et parfois elle
poussait de tels gémissements qu'on les entendait
de la rue.

Une personne, deux, trois, se décidaient à s'éloi-
gner. Des ménagères cherchaient leur marmaille
autour d'elles pour aller continuer leur marché dans
les boutiques du quartier.

Le groupe diminuait peu à peu, mais il en restait
assez pour boucher la porte.

C'était un coiffeur, maintenant, le peigne sur
l'oreille, qui expliquait avec un fort accent génois :

— J'ai tout vu comme je vous vois, car c'est l'heure creuse et je me trouvais justement sur le seuil de mon salon.

On apercevait, en effet, quelques maisons plus loin, le cylindre aux bandes bleues et rouges qui annonce les salons de coiffure.

— Presque tous les matins, il s'arrêtait un petit moment devant chez moi pour bavarder. C'est moi qui lui faisais la barbe, le mercredi et le samedi... Je lui ai toujours fait la barbe... Pas mon commis, mais moi-même... Et je l'ai toujours connu tel qu'il était ce matin encore... Il devait pourtant avoir quatre-vingt-deux ans... Attendez... Non... Quatre-vingt-trois... Quand Maria, sa dernière petite-fille, s'est mariée, il y a quatre ans, je me souviens qu'il m'a dit...

Et le coiffeur se livrait à des calculs pour établir l'âge exact du vieil Angelino qu'on venait d'emporter brutalement loin de la rue où il avait vécu si longtemps.

— Il y a une chose qu'il n'aurait pas consenti à avouer pour quoi que ce soit au monde : c'est qu'il n'y voyait pour ainsi dire plus... Il portait toujours ses verres, des verres épais dans une ancienne monture en argent... Il passait son temps à les essuyer avec son grand mouchoir rouge et à les remettre sur ses yeux. Mais la vérité, c'est qu'ils ne lui servaient pas à grand-chose... C'est pour cela et non parce qu'il avait de mauvaises jambes — car il a toujours gardé ses jambes de vingt ans — qu'il avait pris l'habitude de marcher avec une canne...

» Chaque matin à dix heures et demie exactement...

Or, logiquement, Maigret aurait dû être dans la boutique vers cette heure-là. Il se l'était promis la veille. C'était le vieil Angelino qu'il voulait voir et questionner.

Que se serait-il produit si Maigret était arrivé à temps, s'il ne s'était pas rendormi, s'il n'avait pas traîné à la fenêtre, si le taxi qu'il avait hélé s'était arrêté, s'il n'avait pas acheté de pipe dans la Cinquième Avenue?

— On lui nouait autour du cou une grosse écharpe de laine tricotée, une écharpe rouge... Tout à l'heure, j'ai vu un gamin, le fils de la légumière, qui la rapportait... Il ne portait jamais de pardessus, fût-ce au cœur de l'hiver... Il s'en allait à petits pas bien réguliers, en rasant les maisons, et moi je savais que sa canne lui servait à se diriger...

Ils n'étaient plus que cinq ou six autour du coiffeur et, comme Maigret paraissait le plus sérieux, le plus intéressé du groupe, c'était à lui que l'homme avait fini par s'adresser.

— Devant chaque boutique, ou à peu près, il saluait d'un geste de la main, car il connaissait tout le monde. Au coin de la rue, il s'arrêtait un instant au bord du trottoir avant de traverser, car sa promenade comportait invariablement trois blocs de maisons...

» Ce matin, il a fait comme les autres jours... Je l'ai vu... J'affirme que je l'ai vu faire les premiers pas sur la chaussée... Pourquoi me suis-je retourné à ce moment-là? Je n'en sais rien... Peut-être mon commis, dans le salon dont la porte était restée ouverte, m'a-t-il adressé la parole?... Il faudra que je lui demande, car cela m'intrigue...

» J'ai nettement entendu l'auto arriver... Cela se passait à moins de cent mètres de chez moi... Puis un drôle de bruit... Un bruit mou... C'est difficile à décrire... Un bruit, en tout cas, qui vous fait comprendre tout de suite qu'il s'est produit un accident.

» Je me suis retourné et j'ai vu l'auto qui continuait sa route à toute vitesse... Elle passait déjà
devant moi... En même temps, je regardais le corps
par terre.

» Si je ne m'étais pas occupé des deux choses à la
fois, j'aurais mieux examiné les deux hommes qui
étaient à l'avant de la voiture... Une grosse auto
grise... D'un gris plutôt sombre... Je serais presque
tenté de dire noire, mais je crois qu'elle était grise...
Ou alors elle était couverte de poussière...

» Des gens s'étaient déjà précipités... Je suis
d'abord venu ici pour avertir Arturo... Il était en
train de presser un pantalon. On a ramené le vieil
Angelino avec un filet de sang qui lui sortait de la
bouche et un bras qui pendait, une épaule de son
veston déchirée... On ne constatait rien d'autre à
première vue, mais j'ai tout de suite compris qu'il
était mort... »

C'était dans le bureau du capitaine O'Brien. Celui-
ci, qui avait renversé sa chaise en arrière, à cause
de ses longues jambes, fumait sa pipe à très petites
bouffées, en caressant le tuyau de ses lèvres et regardait, la paupière lourde, Maigret, qui parlait.

— Je suppose, disait celui-ci en terminant, que
vous n'allez plus prétendre que la liberté individuelle
vous interdit de vous occuper de ces salauds-là ?

Car Maigret, après plus de trente ans de police,
pendant lesquels il avait tout vu des bassesses, des
cruautés, des lâchetés humaines, en était encore
à s'indigner comme au premier jour de certains
actes.

La coïncidence de la visite projetée ce matin-là

au vieux Giacomi, le fait que cette visite, rendue à temps, aurait sans doute sauvé la vie du tailleur, jusqu'à cet achat d'une pipe qu'il évitait maintenant de fumer lui donnaient l'humeur encore plus sombre.

— Ce n'est malheureusement pas la Police fédérale que cela regarde, mais, jusqu'à nouvel ordre, la police de New-York.

— Ils l'ont tué salement, crapuleusement... grondait l'ancien commissaire.

Et O'Brien de murmurer, rêveur :

— Ce n'est pas tant la façon dont ils l'ont tué qui me frappe, que le fait qu'ils l'ont tué juste à temps...

Maigret y avait déjà pensé et il était difficile d'y voir une coïncidence.

Pendant des années et des années, personne ne s'était occupé du vieil Angelino, qui avait pu passer ses journées sur sa chaise, à la vue des passants, et faire chaque matin, comme un bon gros chien, son petit tour de piste familier.

La veille, la nuit même, Maigret s'était arrêté quelques instants devant la boutique du tailleur. Il s'était promis, sans en parler à personne, d'y revenir dès le matin et de questionner le bonhomme.

Or, quand il arrivait, on avait pris soin de mettre définitivement celui-ci dans l'impossibilité de parler.

— Il a fallu faire vite... grommela-t-il en regardant O'Brien avec une involontaire rancune.

— Il ne faut pas longtemps pour organiser un accident de ce genre, quand on est à l'avance au courant de tous les détails indispensables... Je n'irai pas jusqu'à dire qu'il y a des agences qui se chargent de cette sorte de travail, mais presque... Il suffit, en somme, de savoir à qui s'adresser, de donner

confiance et d'y mettre le prix, comprenez-vous?...
C'est ce qu'on appelle les tueurs... Seulement, les
tueurs ne pouvaient pas savoir que le vieil Angelino
traversait la 169ᵉ rue chaque matin, à la même
heure, au même endroit...

» Quelqu'un a dû les renseigner, vraisemblablement celui qui leur a commandé le travail.

» Et ce quelqu'un était renseigné de longue date. »

Ils se regardèrent gravement, car ils tiraient tous
les deux des conclusions identiques des événements.

Quelqu'un, depuis un temps indéterminé, savait
qu'Angelino avait quelque chose à dire et que ce
quelque chose constituait une menace pour sa tran-
quillité.

Malgré lui, Maigret évoquait la silhouette nerveuse, mais presque fluette de Little John, ses yeux
clairs et froids où on ne sentait aucune flamme humaine.

N'était-ce pas exactement l'homme capable de
commander à des tueurs, sans sourciller, la besogne
qu'ils avaient accomplie le matin ?

Et Little John avait habité la 169ᵉ rue, juste
en face de la maison du tailleur !

Au surplus, si l'on devait en croire ses lettres à
son fils — et elles rendaient un son troublant de
sincérité — c'était Little John qui se sentait menacé,
qui craignait sans doute pour sa vie !

Et c'était son fils qui avait disparu avant de mettre
les pieds sur le sol américain !

— Ils tuent... dit Maigret, après un long silence,
comme si c'était le résumé de ses pensées.

Et c'était à peu près cela. Il venait d'évoquer
Jean Maura et, maintenant qu'il savait qu'il s'agissait de gens capables de tuer, il n'était pas sans
remords.

N'aurait-il pas dû monter meilleure garde auprès

du jeune homme qui lui avait demandé son aide?
N'avait-il pas eu le tort de ne pas prendre ses alarmes
très au sérieux, malgré les avis de M. d'Hoquélus?

— En somme, disait à son tour l'homme roux de
la Police fédérale, nous nous trouvons en présence
de gens qui se défendent, ou plus exactement qui
attaquent pour se·défendre... Je me demande, mon
cher Maigret, ce que vous allez pouvoir faire... La
police de New-York n'aura aucun désir de vous
voir vous mêler à son enquête... A quel titre, d'ailleurs?... Il s'agit d'un crime commis en territoire
américain... Angelino est depuis longtemps citoyen
américain... Les assassins aussi, sans doute. Maura
est naturalisé... Mac Gill, je me suis renseigné, est
né à New-York... Et, d'ailleurs, vous verrez que
ces deux-là ne seront pas mêlés à l'affaire... Quant
au jeune Maura, personne n'a porté plainte et son
père ne paraît pas désireux de le faire.

Il se leva en soupirant.

— Voilà tout ce que je peux vous dire.

— Vous savez que mon bouledogue n'était pas
à son poste ce matin?

L'autre comprit qu'il parlait de Bill.

— Vous ne me l'aviez pas encore dit, mais je
l'aurais parié... Il a bien fallu, n'est-ce pas, qu'entre
hier soir et ce matin quelqu'un soit mis au courant
de votre visite dans la 169e rue.

— ... Afin que, désormais, je puisse y retourner
sans danger pour personne.

— Savez-vous qu'à votre place je prendrais quelques précautions en traversant les rues?... Je crois,
parbleu, que j'éviterais, surtout le soir, les endroits
déserts... On n'a pas toujours besoin d'écraser les
gens... Il est facile, en passant en voiture, de leur
envoyer une rafale de mitraillette.

— Je pensais que les gangsters n'existaient que dans les romans et dans les films. N'est-ce pas ce que vous m'avez dit?

— Je ne vous parle pas des gangsters. Je vous donne un conseil. A part ça, qu'est-ce que vous avez fait de mon clown pleureur?

— Je l'ai mis au travail et il doit me téléphoner ou venir me voir au *Berwick* dans la journée.

— A moins qu'il lui arrive un accident, à lui aussi.

— Vous croyez?

— Je ne sais rien. Je n'ai le droit de me mêler de rien. J'ai bonne envie de vous dire d'en faire autant, mais ce serait évidemment inutile.

— Oui...

— Bonne chance. Téléphonez-moi si vous avez du nouveau. Il est possible que je rencontre, tout à fait par hasard, mon collègue de la police de New-York chargé de cette affaire. Je ne sais pas encore qui on a choisi. Il est possible aussi que, dans la conversation, il me confie certaines petites choses susceptibles de vous intéresser. Je ne vous invite pas à déjeuner, car j'ai un lunch tout à l'heure avec deux de mes chefs.

Cela ressemblait peu à leur première rencontre et à leur entretien marqué de bonne humeur et d'un humour léger.

Ils avaient l'un comme l'autre un poids sur le cœur. Cette rue du Bronx, avec ses boutiques italiennes, sa marmaille, sa vie faubourienne, où un vieillard faisait sa promenade à petits pas et où une auto s'élançait sauvagement...

Maigret faillit entrer dans une cafeteria pour manger un morceau, puis, comme il n'était pas loin du *Saint-Régis*, l'idée lui vint d'entrer au bar.

Il n'espérait rien, sinon peut-être d'apercevoir Mac Gill qui semblait avoir l'habitude d'y prendre l'apéritif.

Et il s'y trouvait en effet, en compagnie d'une fort jolie femme. Il aperçut le commissaire et se leva à demi pour le saluer.

Puis il dut parler de lui à sa compagne, car celle-ci se mit à dévisager Maigret avec curiosité tout en fumant sa cigarette marquée de rouge à lèvres.

Ou bien Mac Gill ne savait rien, ou il possédait un sang-froid remarquable, car il se montrait très à son aise. Comme Maigret restait toujours seul au bar devant un cocktail, il se décida soudain à se lever, en s'excusant auprès de son amie, et il vint vers le commissaire, la main tendue.

— Je ne suis pas fâché de vous rencontrer, car, après ce qui s'est passé hier, j'avais l'intention de vous parler.

Maigret avait feint de ne pas voir la main qu'on lui offrait et que le secrétaire finit par glisser dans sa poche.

— Little John s'est conduit avec vous d'une façon brutale et encore plus maladroite. C'est justement ce que je voulais vous dire : qu'il y a plus de maladresse chez lui que de méchanceté. Il est habitué depuis longtemps à ce que tout le monde lui obéisse. Le moindre obstacle, la moindre opposition l'irritent. Et enfin, en ce qui concerne son fils, il a un sentiment bien particulier. C'est, si vous voulez, la partie intime, la partie secrète de sa vie, qu'il garde jalousement pour lui. C'est pourquoi il s'est fâché en vous voyant vous occuper, malgré lui, de cette affaire.

» Je peux vous dire en confidence que, depuis votre arrivée, il remue ciel et terre pour retrouver Jean Maura.

» Il le retrouvera, car il en a les moyens.

» Sans doute, en France, où vous pourriez lui être de quelque secours, accepterait-il votre concours. Ici, dans une ville que vous ne connaissez pas... »

Maigret était immobile, aussi insensible en apparence qu'un mur.

— Bref, je vous demande...

— ... d'accepter vos excuses, laissa-t-il tomber.

— ... et les siennes.

— C'est lui qui vous a chargé de me les présenter ?

— C'est-à-dire que...

— ... que vous avez hâte, l'un comme l'autre, pour les mêmes raisons ou pour des raisons différentes, de me voir ailleurs.

— Si vous le prenez comme ça...

Et Maigret, bourru, en se retournant vers le bar pour saisir son verre :

— Je le prends comme il me plaît.

Quand il regarda à nouveau vers la salle, Mac Gill était assis auprès de la blonde Américaine qui lui posait des questions auxquelles il était visible qu'il n'avait nullement le désir de répondre.

Il était sombre et, au moment de sortir, le commissaire se sentit suivi par un regard où il y avait de l'angoisse et de la rancune.

Tant mieux!

*

Un câble l'attendait au *Berwick*, qu'on avait fait suivre du *Saint-Régis*. Ronald Dexter était là aussi, qui l'attendait patiemment sur une banquette du hall.

La dépêche disait :

Reçois par câble excellentes nouvelles Jean Maura stop vous expliquerai situation retour stop enquête désormais sans objet stop compte sur votre arrivée par prochain bateau.

Sincères salutations.

FRANÇOIS D'HOQUÉLUS.

Maigret plia menu le papier jaune qu'il glissa en soupirant dans son portefeuille. Puis il se tourna vers le clown triste.

— Vous avez mangé? lui demanda-t-il.

— C'est-à-dire que j'ai avalé un *hot dog* tout à l'heure. Mais, si vous tenez à ce que je vous accompagne...

Et cela permit au commissaire de découvrir une autre caractéristique inattendue de son étrange détective. Dexter, qui était maigre au point que les vêtements les plus étriqués flottaient autour de ses membres, avait un estomac d'une capacité prodigieuse.

Il était à peine assis au comptoir d'une cafeteria que ses yeux brillaient comme ceux d'un homme qui serait resté plusieurs jours sans manger et il murmurait, en désignant des sandwiches au fromage et au jambon :

— Vous permettez?

Ce n'était pas un sandwich qu'il demandait la permission de manger, mais toute la pile, et, tandis qu'il absorbait de la sorte, il lançait autour de lui des regards anxieux, comme s'il craignait qu'on vînt l'empêcher de poursuivre son repas.

Il mangeait sans boire. D'énormes bouchées se succédaient dans sa bouche d'une élasticité prodigieuse et chaque bouchée poussait l'autre sans qu'il en fût le moins du monde incommodé.

— J'ai déjà trouvé quelque chose... parvenait-il malgré tout à prononcer.

Et, de sa main libre, il fouillait dans la poche de son *trench-coat* qu'il n'avait pas pris le temps de retirer. Il posait sur le comptoir une feuille de papier pliée. Pendant que le commissaire la dépliait, il demandait :

— Cela ne vous fait rien que je commande quelque chose de chaud ? Ici, ce n'est pas cher, vous savez...

Le papier était un prospectus comme les acteurs en vendaient jadis, dans la salle, leur numéro terminé.

Demandez la photographie des artistes.

Et Maigret qui, à cette époque-là, était un assidu du *Petit Casino*, à la Porte Saint-Martin, entendait encore le sempiternel :

— *Il me coûte dix centimes.*

Ce n'était même pas une carte postale comme s'offraient le luxe d'en faire imprimer les numéros importants, mais un simple papier fort, d'un jaune maintenant déteint.

J and J, les célèbres fantaisistes musicaux qui ont eu l'honneur de jouer devant tous les souverains d'Europe et devant le shah de Perse.

— Je vous demanderai de ne pas trop le salir, disait le clown en commençant à dévorer des œufs frits au lard. On ne me l'a pas donné, mais seulement prêté.

C'était tellement cocasse, l'idée de prêter un papier de ce genre que personne ne se serait donné la peine de ramasser dans la rue...

— C'est un ami à moi... Enfin, un homme que j'ai beaucoup connu, qui tenait dans les cirques le rôle de M. Loyal. C'est beaucoup plus difficile qu'on ne croit, vous savez. Il l'a tenu pendant plus de quarante ans, et maintenant il ne quitte plus son fauteuil, il est très vieux, je suis allé le voir la nuit dernière, car il ne dort à peu près plus.

Il parlait toujours la bouche pleine et il louchait vers les saucisses qu'un de ses voisins venait de commander. Il en mangerait, bien sûr, et sans doute aussi un de ces énormes morceaux de gâteau laqués d'une crème livide qui soulevait le cœur de Maigret.

— Mon ami n'a pas connu personnellement *J and J*... Lui ne s'occupait que du cirque, vous comprenez ? Mais il possède une collection unique d'affiches, de programmes et d'articles de journaux traitant des familles du cirque ou du music-hall. Il peut vous dire que tel acrobate, qui a trente ans aujourd'hui, est le fils de tel trapéziste qui a épousé lui-même la petite-fille du porteur de tel numéro de force qui s'est tué au *Palladium* de Londres en 1905.

Maigret écoutait d'une oreille distraite et regardait la photographie sur le papier jaune et glacé. Pouvait-on parler de photographie ? La reproduction, en photogravure à trame trop grosse, était si mauvaise que l'on reconnaissait à peine les visages.

Deux hommes, jeunes tous les deux, maigres tous les deux. Ce qui les différenciait le plus, c'est que l'un portait les cheveux très longs. C'était le violoniste, et Maigret était persuadé que celui-là était devenu Little John.

L'autre, le cheveu plus rare, avec déjà, tout jeune, des signes de calvitie, portait des lunettes, et, roulant les yeux, soufflait dans une clarinette.

— Mais oui, mais oui, commandez donc des sau-

cisses, disait Maigret sans que Ronald Dexter ait
eu le temps de parler.

— Vous devez penser que j'ai eu faim toute ma
vie, n'est-ce pas?

— Pourquoi?

— Parce que c'est vrai... J'ai toujours eu faim.
Même quand je gagnais de l'argent, car je n'en avais
jamais assez pour manger autant que je l'aurais voulu.
Il faudra que vous me rendiez ce papier, car j'ai
promis à mon ami de le lui rapporter.

— Je le ferai photographier tout à l'heure.

— Ah! j'aurai d'autres renseignements, mais pas
tout de suite. Déjà pour ce prospectus, j'ai dû insister
afin que mon ami le cherche sur-le-champ. Il vit
dans son fauteuil monté sur roues et il va et vient
tout seul dans son logement encombré de papiers.
Il m'a affirmé qu'il connaissait des gens qui pour-
raient nous renseigner, mais il n'a pas voulu me dire
qui... Parce qu'il ne se souvient pas au juste, j'en
suis sûr. Il a besoin de fouiller dans ses fatras...

» Il n'a pas le téléphone. Comme il ne peut pas
sortir, cela ne facilite pas les choses.

» — Ne craignez rien... On vient me voir... On
« vient me voir... m'a-t-il répété. Il y a assez d'ar-
« tistes qui se souviennent du vieux Germain et qui
« sont bien contents de venir bavarder dans ce
« taudis...

» J'ai entre autres une vieille amie qui a été dan-
« seuse de corde, puis voyante dans un numéro
« diabolique, et qui a fini par dire la bonne aven-
« ture. Elle vient tous les mercredis.

» Passez de temps en temps. Lorsque j'aurai
« quelque chose pour vous, je vous le dirai. Mais
« vous allez m'avouer la vérité. Il s'agit d'un livre
« sur le café-concert, n'est-ce pas? On en a déjà

« écrit sur les gens du cirque. On venait me trouver,
« on me tirait les vers du nez, on m'emportait mes
« documents, puis, quand le livre paraissait, mon
« nom n'y figurait même pas... »

Maigret comprenait de quel genre d'homme il
s'agissait et il savait qu'il ne servirait de rien de le
bousculer.

— Vous retournerez là-bas chaque jour... dit-il.

— J'ai d'autres endroits à visiter aussi. Vous
verrez que je vous trouverai tous les renseignements
que vous cherchez. Seulement, il faut que je vous
demande encore une petite provision. Hier, vous
m'avez remis dix dollars et je vous les ai portés en
compte. Tenez! Mais si... Je veux que vous le voyez...

Et il exhibait un calepin crasseux sur une des
pages duquel il avait tracé au crayon :

Reçu provision pour enquête J and J : dix dollars.

— Aujourd'hui, j'aime mieux que vous ne m'en
remettiez que cinq, parce que je dépenserais quand
même tout et que cela irait trop vite. Alors, je n'ose-
rais plus rien vous demander et, sans argent, je
serais incapable de vous aider. C'est trop? Voulez-
vous quatre?

Maigret lui en remit cinq et, sans raison, au moment de les lui tendre, il enveloppa le clown d'un
regard insistant.

Repu, l'homme en *trench-coat*, un ruban vert
acide en guise de cravate, ne paraissait pas plus
gai, mais son regard exprimait une infinie recon-
naissance, une infinie soumission dans laquelle il
y avait quelque chose d'anxieux, de tremblant.
C'était comme un chien qui vient de trouver enfin
un bon maître et qui mendie un signe de satisfaction
sur son visage.

Or, à cet instant, Maigret se souvenait des paroles du capitaine O'Brien. Il se souvenait aussi du vieil Angelino, qui le matin, était parti comme les autres jours pour faire sa promenade et qu'on avait salement tué.

Il se demanda s'il avait le droit...

Cela fut bref, une émotion d'un moment. Est-ce qu'il n'employait pas l'ancien clown dans un secteur de tout repos ?

« Si jamais on me le tue... », pensa-t-il.

Et il évoquait le bureau du *Saint-Régis*, le coupe-papier qui s'était brisé entre les doigts nerveux de Little John, puis Mac Gill, au bar, occupé à parler de lui à son Américaine.

Jamais il n'avait commencé une enquête dans des conditions aussi vagues, presque aussi loufoques. En réalité, il n'était chargé d'aucune enquête, par personne. Jusqu'aux vieux M. d'Hoquélus, si pressant dans sa maison de Meung-sur-Loire, qui le priait poliment de rentrer en France et de se mêler de ce qui le regardait. Jusqu'à O'Brien.

— Je passerai vous voir demain vers la même heure... disait Ronald Dexter en saisissant son chapeau. N'oubliez pas que je dois rendre le prospectus.

J and J...

Maigret se retrouva tout seul, sur le trottoir, dans une avenue qu'il ne connaissait pas, et il fut un bon moment à errer les mains dans les poches, la pipe aux dents, avant d'apercevoir les lumières d'un cinéma de Broadway qu'il reconnaissait et qui le mirent dans la bonne voie.

Soudain, comme cela, sans raison, l'envie lui prit d'écrire à Mme Maigret et il rentra à son hôtel.

5

C'EST ENTRE LE deuxième et le troisième étage que Maigret pensa, sans y attacher autrement d'importance, qu'il n'aimerait pas qu'un homme comme le capitaine O'Brien, par exemple, le vît dans ses occupations de ce matin-là.

Même des gens qui avaient travaillé avec lui pendant des années et des années, comme le brigadier Lucas, ne comprenaient pas toujours quand il était dans cet état.

Et lui-même savait-il exactement ce qu'il cherchait? Par exemple, au moment où il s'arrêtait sans raison sur une marche d'escalier, entre deux étages, en regardant devant lui de ses gros yeux qui devenaient sans expression, il devait avoir l'air du monsieur qu'une maladie de cœur oblige à s'immobiliser n'importe où et qui s'efforce de prendre un air innocent pour ne pas apitoyer les passants.

A en juger par le nombre d'enfants en dessous de sept ans qu'il voyait dans les escaliers, sur les paliers, dans les cuisines et dans les chambres, la maison, en dehors des heures de classe, devait être une véritable fourmilière de gosses. Et, d'ailleurs, des jouets traînaient dans tous les coins, des trottinettes cassées, de vieilles caisses à savon auxquelles étaient, tant bien que mal, appliquées des roues, des assemblages d'objets hétéroclites qui ne représentaient aucun sens pour les grandes personnes, mais qui, pour leurs auteurs, devaient constituer des trésors.

Il n'y avait pas de concierge dans la maison, comme dans les maisons françaises, et c'est ce qui compliquait la tâche du commissaire. Rien que des boîtes à lettres, dans le corridor du rez-de-chaussée, peintes en brun, avec un numéro, quelques-unes avec une carte de visite jaunie ou avec un nom mal gravé sur une bande de métal.

Il était dix heures du matin et c'était sans doute à cette heure-là que cette sorte de caserne vivait sa vie la plus caractéristique. Une porte sur deux ou trois était ouverte. On voyait des femmes aux cheveux non encore peignés vaquer à leur ménage, débarbouiller des mioches, secouer de douteuses carpettes par la fenêtre.

— Pardon, madame...

On le regardait avec méfiance. Pour qui pouvait-on le prendre, avec sa haute stature, son gros pardessus, son chapeau qu'il retirait toujours pour parler aux femmes, quelles qu'elles fussent? Sans doute pour quelqu'un qui venait proposer une assurance, ou un aspirateur électrique nouveau modèle?

Il y avait son accent par surcroît, mais ici cela ne frappait pas, car on trouvait non seulement des Italiens fraîchement débarqués, mais des Polonais, des Tchèques aussi, lui sembla-t-il.

— Savez-vous si, dans la maison, il y a encore des locataires qui s'y trouvaient déjà il y a une trentaine d'années ?

On fronçait les sourcils, car c'était bien là la question à laquelle on s'attendait le moins. A Paris, à Montmartre, par exemple, ou bien dans le quartier qu'il habitait, entre la République et la Bastille, il n'existait peut-être pas un immeuble de quelque importance où il n'eût trouvé aussitôt une vieille femme, un vieil homme, un couple installé dans la maison depuis trente ou quarante ans.

Ici, on lui répondait :

— Il n'y a que six mois que nous sommes arrivés...

Ou un an, ou deux. Le maximum était quatre ans.

Instinctivement, sans s'en rendre compte, il restait un bon moment devant les portes ouvertes, à regarder une cuisine pauvre encombrée d'un lit, ou bien une chambre dans laquelle vivaient quatre ou cinq personnes.

Rares étaient les gens qui se connaissaient d'étage à étage. Trois enfants, dont l'aîné, un garçon, pouvait avoir huit ans — il avait sans doute les oreillons, car il portait une grosse compresse autour de la tête, — s'étaient mis à le suivre. Puis le garçonnet s'était enhardi et, maintenant, c'était lui qui se précipitait en avant de Maigret.

— Le monsieur veut savoir si vous étiez ici il y a trente ans.

Quelques vieux, pourtant, dans des fauteuils, près des fenêtres, souvent près d'une cage contenant un canari, les ancêtres qu'on avait fait venir d'Europe une fois qu'on avait trouvé un *job*. Et, parmi ceux-là, certains ne comprenaient pas un mot d'anglais.

— Je voudrais savoir...

Les paliers, qui étaient vastes, constituaient en quelque sorte des terrains neutres où l'on entassait tout ce qui ne servait pas dans les logements ; sur celui du deuxième étage, une femme maigre, aux cheveux jaunes, faisait sa lessive.

C'était ici, dans une de ces alvéoles, que *J and J* s'étaient installés lors de leur arrivée à New-York, ici que Little John, qui occupait à présent un somptueux appartement au *Saint-Régis*, passa des mois, peut-être des années.

Il était difficile de concentrer plus de vies humaines dans aussi peu d'espace et pourtant on ne sentait aucune chaleur, on éprouvait plus que nulle part ailleurs un sentiment d'irrémédiable isolement.

Les bouteilles de lait le prouvaient. Au troisième, Maigret était tombé en arrêt devant une porte, car, sur le paillasson, huit bouteilles de lait intactes s'alignaient.

Il faillit questionner l'enfant qui s'était fait son cicerone bénévole, mais un homme d'une cinquantaine d'années sortait justement de la chambre voisine.

— Vous savez qui habite là ?

L'homme haussa les épaules sans répondre, comme pour dire que cela ne le regardait pas.

— Vous ignorez s'il y a quelqu'un dans le logement ?

— Comment voulez-vous que je le sache ?

— C'est un homme, une femme ?

— Un homme, je crois.

— Vieux.

— Cela dépend de ce que vous appelez vieux. Peut-être de mon âge... Je ne sais pas. Il n'y a qu'un mois qu'il est arrivé dans la maison.

De quelle nationalité il était, d'où il venait, nul ne s'en souciait, et son voisin, sans être intrigué par les bouteilles de lait, descendait l'escalier, se retournait, le front soucieux, vers cet étrange visiteur qui posait des questions saugrenues, puis s'en allait à ses affaires.

Est-ce que le locataire de la chambre était parti en voyage en oubliant d'avertir le livreur de lait? C'était possible. Mais les gens qui habitent pareille caserne sont des gens pauvres pour qui un sou est un sou. Il était peut-être derrière cette porte? Vivant ou mort, malade ou mourant, il pouvait y rester longtemps sans que nul ne songeât à s'inquiéter de son sort.

Même s'il avait crié, appelé au secours, est-ce que quelqu'un se serait dérangé?

Un petit garçon, quelque part, apprenait le violon. C'était presque lancinant d'entendre la même phrase maladroite répétée à l'infini, de deviner l'archet malhabile qui ne parvenait à tirer de l'instrument qu'un son lamentable.

Dernier étage.

— Pardon, madame, connaissez-vous dans la maison quelqu'un qui...

On lui parla d'une vieille femme que personne ne connaissait, qui passait pour avoir habité longtemps l'immeuble et qui était morte deux mois plus tôt, alors qu'elle gravissait l'escalier avec son filet à provisions. Mais peut-être n'y avait-il pas trente ans qu'elle était là?

Cela finissait par devenir gênant d'être précédé par ce gamin plein de bonne volonté et qui regardait sans cesse Maigret avec des yeux scrutateurs, comme s'il essayait de deviner le mystère de cet étranger survenu dans son univers.

Allons! Il pouvait redescendre. Il s'arrêta pour
rallumer sa pipe et il continuait à renifler l'atmosphère autour de lui ; il imaginait un jeune homme
blond et fluet montant ce même escalier avec une
boîte à violon sous le bras, un autre, au cheveu déjà
rare, jouant de la clarinette près d'une fenêtre en
regardant dans la rue.

— *Hello!*

Il se renfrogna instantanément. Son expression
de physionomie dut être assez inattendue, car l'homme
qui montait à sa rencontre, et qui n'était autre que
le capitaine O'Brien, ne put s'empêcher non de sourire
de son sourire doux et nuancé d'homme roux, mais
d'éclater d'un rire sonore.

C'était par une sorte de pudeur que Maigret se
troublait de la sorte et grommelait maladroitement :

— Je croyais que vous ne vous occupiez pas de
cette affaire.

— Et qui vous dit que je m'en occupe ?

— Allez-vous me dire que vous venez voir de la
famille ?

— *Primo*, cela n'aurait rien d'impossible, car
nous avons tous de la famille de toutes sortes.

Il était de bonne humeur. Avait-il compris ce
que Maigret était venu chercher dans la maison ?
Il avait compris, en tout cas, que son collègue français éprouvait ce matin-là une certaine qualité d'émotion qui n'était pas sans le toucher, et son regard
exprimait plus d'amitié que d'habitude.

— Je ne veux pas jouer au plus fin avec vous.
C'est vous que je cherchais. Sortons, voulez-vous ?

Maigret avait déjà descendu un étage quand il
se ravisa et remonta quelques marches pour donner
une pièce blanche au petit garçon qui regarda la
pièce sans penser à dire merci.

— Est-ce que vous commencez à comprendre
New-York ? Je parie que vous en avez appris davantage ce matin que vous n'en auriez appris en un mois
passé au *Saint-Régis* ou au *Waldorf*.

Ils s'étaient arrêtés machinalement sur le seuil
et tous deux regardaient la boutique d'en face, et
le tailleur, le fils du vieil Angelino, qui travaillait
à sa presse, car les pauvres n'ont pas le temps de
s'attarder à leur douleur.

Une voiture qui portait la cocarde de la police
était arrêtée à quelques mètres.

— Je suis passé à votre hôtel. Quand on m'a
annoncé que vous étiez parti de bonne heure, j'ai
bien pensé que je vous trouverais ici. Ce que je ne
savais pas, c'est qu'il me faudrait monter jusqu'au
quatrième étage.

Une toute petite pointe d'ironie, une allusion à
certaine sensibilité — peut-être à certaine senti-
mentalité — qu'il venait de découvrir chez ce gros
commissaire français.

— Si vous aviez des concierges, comme chez
nous, je n'aurais pas eu besoin de gravir toutes ces
marches.

— Vous croyez que vous ne l'auriez pas fait malgré
tout ?

Ils pénétraient dans la voiture.

— Où allons-nous ?

— Où vous voudrez. A présent, cela n'a plus
aucune importance. Je vous déposerai simplement
dans un quartier un peu plus central et qui assom-
brisse moins votre humeur.

Il alluma une pipe. Un chauffeur conduisait.

— J'ai une mauvaise nouvelle à vous annoncer,
mon cher commissaire.

Pourquoi, dans ce cas, disait-il cela d'une voix toute pleine de douce satisfaction?

— Jean Maura est retrouvé.

Les sourcils froncés, Maigret se tourna vers lui et le regarda fixement.

— Vous ne voulez pas dire que ce sont vos hommes qui...

— Allons! Ne soyez pas jaloux.

— Ce n'est pas jalousie de ma part, mais...

— Mais?

— Cela ne cadrerait pas avec le reste, acheva-t-il à mi-voix, comme pour lui-même. Non. Cela clocherait.

— Tiens! Tiens!

— Qu'est-ce qui vous étonne?

— Rien. Dites-moi ce que vous pensez?

— Je ne pense pas. Mais si Jean Maura a fait sa réapparition, s'il est vivant...

O'Brien fit un signe de tête affirmatif.

— Je parie qu'on l'a simplement trouvé installé avec son père et Mac Gill au *Saint-Régis*.

— Bravo, Maigret! C'est exactement ce qui s'est passé. Malgré la liberté individuelle dont je vous ai parlé, en exagérant peut-être un tout petit peu pour vous taquiner, nous avons quelques petits moyens d'investigation, surtout dans un hôtel comme le *Saint-Régis*. Or, ce matin, un petit déjeuner de plus a été commandé pour l'appartement de Little John. Jean Maura était là, installé dans la grande chambre à coucher qui précède la chambre-bureau de son père.

— Il n'a pas été questionné?

— Vous oubliez que nous n'avons pas de raisons de le questionner. Aucune loi fédérale ou autre n'oblige les passagers qui débarquent à se précipiter sur-le-champ dans les bras de leur père, et celui-ci n'a jamais porté plainte, ni signalé la disparition de son fils à la police.

— Une question.

— A condition qu'elle soit discrète.

— Pourquoi Little John, qui fait les frais d'une *suite* luxueuse au *Saint-Régis*, comme vous dites, d'un appartement de quatre ou cinq pièces, occupe-t-il personnellement une chambre qui ressemble à une chambre de bonne chez nous et travaille-t-il sur une table en bois blanc alors que son secrétaire trône derrière un riche bureau d'acajou ?

— Cela vous étonne vraiment ?

— Un peu.

— Ici, voyez-vous, cela n'étonne personne, pas plus que de savoir que certain fils de milliardaire s'obstine à habiter le Bronx, dont nous sortons, et à se rendre chaque jour par le *subway* à son bureau, alors qu'il pourrait disposer d'autant de voitures de luxe qu'il le voudrait.

» Le détail dont vous me parlez au sujet de Little John est connu. Cela fait partie de sa légende. Tous ceux qui sont arrivés ont une légende, et celle-là fait très bien, les magazines populaires en parlent volontiers.

» L'homme devenu riche et puissant qui a reconstitué, au *Saint-Régis*, la chambre de ses débuts et qui y vit simplement, dédaigneux du luxe des autres pièces.

» Quand à savoir si Little John est sincère ou s'il soigne sa publicité, c'est une autre question. »

Pourquoi Maigret se surprit-il à répondre sans aucune hésitation :

— Il est sincère.

— Ah !

Puis ils se turent un bon moment.

— Peut-être aimeriez-vous connaître le pedigree de Mac Gill, que vous ne semblez pas porter dans votre cœur? Ce sont des choses que l'on m'a racontées par hasard, ne l'oubliez pas, et non des renseignements de police.

Cette duplicité perpétuelle, même si elle procédait de la plaisanterie, exaspérait Maigret.

— Je vous écoute.

— Il est né à New-York, voilà vingt-huit ans, dans le Bronx probablement, de père et mère inconnus. Pendant quelques mois, je ne sais pas au juste combien, il a été élevé par une œuvre d'enfants assistés dans la banlieue de New-York.

» Il a en été retiré par un monsieur qui a déclaré vouloir s'occuper de lui et qui a donné les garanties morales et financières exigées en pareil cas.

— Little John...

— Qu'on n'appelait pas encore Little John et qui venait de monter une modeste affaire de phonographes d'occasion. L'enfant a été confié à une certaine dame Mac Gill, une Écossaise, veuve d'un employé des pompes funèbres. Cette dame et l'enfant ont quitté le pays pour aller vivre au Canada, à Saint-Jérôme. Jeune homme, Mac Gill a fait ses études à Montréal, ce qui explique qu'il parle aussi bien le français que l'anglais. Ensuite, vers la vingtième année, il a disparu de la circulation pour reparaître voilà six mois comme secrétaire particulier de Little John. C'est tout ce que je sais et je ne vous garantis pas l'exactitude de ces racontars.

» Et maintenant, qu'est-ce que vous allez faire? »

Il avait son sourire le plus mou et le plus crispant, sa tête de mouton la moins expressive.

— Allez-vous rendre visite à votre client? Car enfin, c'est le jeune Maura qui a fait appel à vous et qui...

— Je n'en sais rien.

Maigret était furieux. Parce que, en réalité, ce n'était plus Jean Maura et ses craintes qui l'intéressaient, mais son père, Little John, et la maison de la 169e rue, et certain programme de café-concert, et enfin un vieil Italien du nom d'Angelino Giacomi qu'on avait écrasé comme un chien alors qu'il traversait la rue.

Il irait au *Saint-Régis*, évidemment, parce qu'il ne pouvait pas faire autrement. On lui répéterait sans aucun doute qu'on n'avait pas besoin de lui, on lui offrirait un chèque et un billet de passage pour la France.

Le plus sage, c'était d'y retourner comme il en était venu, quitte à se méfier pendant le restant de ses jours de tous les jeunes gens et de tous les Hoquélus de la création.

— Je vous y dépose?

— Où?

— Au *Saint-Régis*.

— Si vous voulez.

— Je vous revois ce soir? Je pense que je serai libre à dîner. Si vous l'êtes de votre côté, passez-moi un coup de téléphone et j'irai vous prendre à votre hôtel ou ailleurs. Aujourd'hui est un jour faste, puisque je dispose d'une des autos de l'administration. Je me demande si nous boirons à votre départ?

Et ses yeux disaient non. Il avait si bien compris Maigret! Mais c'était un besoin pour lui d'échapper à la moindre émotion par une plaisanterie.

— Bonne chance!

C'était le plus mauvais moment à passer, une véritable corvée. Maigret aurait pu annoncer presque exactement ce qui allait se produire. C'était sans imprévu, sans intérêt, mais il ne se sentait pas le droit de l'éviter.

Il s'adressait au *desk*, comme il l'avait fait en arrivant.

— Voulez-vous, s'il vous plaît, m'annoncer à M. Jean Maura ?

L'employé du *desk* était déjà au courant, puisqu'il saisissait tout naturellement le téléphone.

— Monsieur Mac Gill ? Il y a ici quelqu'un qui demande M. Jean Maura. Je crois, oui. Attendez que je m'en assure. De la part de qui, s'il vous plaît ?

Et, quand le commissaire eut dit son nom :

— C'est cela. Entendu. Je fais monter.

Ainsi, Mac Gill avait compris dès le premier instant que c'était lui qui était là.

Un chasseur le conduisait une fois de plus. Il reconnaissait l'étage, le couloir, l'appartement.

— Entrez !

Et un Mac Gill souriant, sans la moindre trace de ressentiment dans son attitude, un Mac Gill qui paraissait soulagé d'un grand poids, venait vers lui et tendait la main sans avoir l'air de se souvenir que Maigret l'avait refusée la veille.

Comme il la refusait à nouveau, il s'exclama sans mauvaise humeur :

— Toujours fâché, mon cher commissaire ?

Tiens ! Les autres jours, il disait « monsieur le commissaire », et cette pointe de familiarité n'était peut-être pas sans signification.

— Vous voyez que nous avions raison, le patron et moi, et que vous aviez tort. Au fait ! Que je vous félicite tout d'abord de votre police. Car vous avez été rapidement au courant du retour de l'enfant prodigue.

Il alla ouvrir la porte de communication. Jean Maura se tenait dans la pièce voisine, en compagnie de son père. Le premier, il aperçut le commissaire et il rougit.

— Votre ami Maigret, annonçait Mac Gill, serait heureux de vous parler. Vous permettez, patron ?

Little John, lui aussi, passa dans le bureau, mais se contenta d'un vague signe de tête à l'adresse du commissaire. Quant au jeune homme, il vint lui serrer la main, l'air gêné, contraint. Il balbutia en détournant la tête :

— Je vous demande pardon.

Mac Gill se montrait toujours plein de désinvolture joyeuse tandis que Little John, au contraire, semblait soucieux, fatigué. Il ne devait pas avoir dormi de la nuit. Son regard, pour la première fois, était fuyant, et il éprouva le besoin, pour se donner une contenance, d'allumer un de ces gros cigares fabriqués spécialement pour lui et marqués de son chiffre.

Sa main tremblait un peu en frottant l'allumette. Il devait avoir hâte, lui aussi, que cette comédie inévitable fût terminée.

— De quoi vous excusez-vous ? questionnait Maigret, qui savait bien qu'on attendait cette question.

— De vous avoir lâché aussi vilainement. Voyez-vous, parmi les journalistes qui sont montés à bord, j'ai aperçu un garçon que j'ai connu l'année dernière. Il avait un flacon de whisky dans sa poche et il prétendait fêter à tout prix mon arrivée.

Maigret ne demanda pas à quel endroit du bateau se passait cette scène, car il savait qu'elle était pure-

ment imaginaire, qu'elle avait été suggérée au jeune
homme par Little John ou par Mac Gill.

Par celui-ci plutôt, qui prenait un air trop détaché, trop indifférent pendant la récitation de son
élève, comme un professeur qui se défend de souf-
fler à son candidat préféré.

— Il avait des amies avec lui dans le taxi.

Comme c'était plausible, ce journaliste qui se
rendait à son travail, à dix heures du matin, avec
des femmes dans sa voiture! On ne se donnait pas
la peine de soigner la vraisemblance. On lui jetait
une explication quelconque en pâture, sans se soucier
de savoir s'il y croirait ou non. A quoi bon? N'était-il
pas désormais en dehors du circuit?

Chose curieuse, Jean Maura était beaucoup moins
fatigué que son père. Il avait la tête d'un jeune homme
qui a passé une bonne nuit et il se montrait plus gêné
qu'inquiet.

— J'aurais dû vous avertir. Je vous ai cherché
sur le pont.

— Non!

Pourquoi Maigret avait-il dit ça?

— C'est vrai, je ne vous ai pas cherché. J'avais
été trop longtemps sérieux à bord. Devant vous, je
n'osais pas boire, sauf la dernière nuit. Vous vous
souvenez? Je ne vous ai même pas demandé pardon.

Little John, comme la veille, était allé se camper
devant la fenêtre dont il écartait le rideau de la main,
d'un geste qui devait lui être familier.

Mac Gill, lui, affectait d'aller et venir en homme
que la conversation n'intéresse que médiocrement
et il s'offrit le luxe de donner un coup de téléphone
banal.

— Un cocktail, commissaire?

— Je vous remercie. Non.

— Comme vous voudrez.

Jean Maura achevait :

— Je ne sais pas ce qui s'est passé ensuite. C'est la première fois que j'étais tout à fait ivre. Nous sommes allés dans des tas d'endroits, nous avons bu avec des tas de gens que je ne reconnaîtrais pas.

— Au *Donkey Bar?* questionna Maigret en regardant Mac Gill avec ironie.

— Je ne sais pas... C'est possible... Il y avait une *party* chez des personnes que mon ami connaît...

— A la campagne ?

Cette fois, le jeune homme regarda vivement le secrétaire de son père, mais, comme celui-ci avait le dos tourné, il fut forcé de répondre de son propre chef et il dit :

— Oui... A la campagne... Nous y sommes allés en auto.

— Et vous êtes seulement revenu hier au soir ?

— Oui...

— On vous a ramené ?

— Oui... Non... Je veux dire qu'on m'a ramené en auto jusqu'en ville.

— Mais pas jusqu'à l'hôtel ?

Encore un coup d'œil à Mac Gill.

— Non... Pas jusqu'à l'hôtel... C'est moi qui n'ai pas voulu, parce que j'avais honte.

— Je suppose que vous n'avez plus besoin de moi ?

Cette fois, ce fut son père qu'il regarda comme pour l'appeler à l'aide et c'était étrange de voir Little John, l'homme énergique par excellence, rester là en dehors de l'entretien comme si celui-ci ne le concernait pas. Il s'agissait cependant de son fils, à qui il écrivait des lettres si tendres qu'on aurait pu les prendre pour des lettres d'amour.

— J'ai eu une longue conversation avec mon père...

— Et avec M. Mac Gill ?

Il ne répondit ni oui ni non. Il faillit nier, se ravisa, renchaîna :

— Je suis confus de vous avoir fait venir si loin à cause de mes craintes enfantines. Je sais combien vous avez été inquiet... Je me demande si vous me pardonnerez jamais de vous avoir laissé dans l'ignorance de mon sort.

A mesure qu'il parlait, il paraissait s'étonner, lui aussi, de l'attitude de son père, qu'il appelait du regard à la rescousse.

Et ce fut Mac Gill, une fois encore, qui prit la situation en main.

— Vous ne croyez pas, patron, qu'il serait temps de régler les questions pendantes avec le commissaire ?

Alors Little John se retourna, fit tomber avec le petit doigt la cendre de son cigare, s'avança jusqu'au bureau d'acajou.

— Je pense, dit-il, qu'il n'y a pas grand-chose à régler. Je m'excuse, monsieur le commissaire, de ne pas vous avoir reçu avec toute la cordialité désirable. Je vous remercie de vous être occupé de mon fils avec autant de sollicitude. Je vous prie simplement de bien vouloir accepter le chèque que mon secrétaire va vous remettre et qui n'est qu'une légère compensation pour les ennuis que nous vous avons causés, mon fils et moi.

Il hésita un instant, se demandant sans doute s'il tendrait la main au commissaire. Il finit par incliner le buste assez sèchement et il se dirigea vers la porte de communication en faisant signe à Jean de le suivre.

— Au revoir, monsieur le commissaire... disait

le jeune homme en serrant rapidement la main de Maigret.

Il ajouta, avec une sincérité qui semblait totale :

— Je n'ai plus peur, vous savez.

Il sourit. Un sourire encore un peu pâle, comme un sourire de convalescent. Après quoi, il disparut derrière son père dans la pièce voisine.

Le chèque était tout prêt dans le chéquier posé sur le bureau. Sans s'asseoir, Mac Gill le détacha et le tendit à Maigret, s'attendant peut-être à voir celui-ci le refuser.

Or Maigret regarda tranquillement le chiffre qui était inscrit : deux mille dollars. Puis il plia le bout de papier d'un geste méticuleux et le glissa dans son portefeuille en prononçant :

— Je vous remercie.

C'était tout. La corvée était terminée. Il s'en allait. Il n'avait pas salué Mac Gill qui l'avait suivi jusqu'à la porte et finissait par la refermer derrière lui.

Malgré son horreur des cocktails et des endroits bêtement luxueux. Maigret s'arrêta au bar et but coup sur coup deux *manhattans*.

Ensuite, il se dirigea à pied vers son hôtel et il lui arrivait de hocher la tête en marchant, de remuer les lèvres comme quelqu'un qui a engagé un long débat intérieur.

Est-ce que le clown ne lui avait pas promis qu'il serait sans doute au *Berwick* à la même heure que la veille ?

Il y était, sur la banquette, mais il avait le regard si triste, un tel navrement sur le visage, qu'il était évident qu'il avait bu.

— Je sais que vous allez me traiter de lâche, commença-t-il en se levant. Et c'est vrai, voyez-vous, que je suis un lâche. Je savais ce qui allait arriver et pourtant je n'ai pas pu résister.

— Vous avez déjeuné?

— Pas encore... Mais je n'ai pas faim. Non, si extraordinaire que cela paraisse, je n'ai pas faim, parce que j'ai trop honte de moi. J'aurais mieux fait de ne pas me montrer à vous dans cet état. Et pourtant je n'ai pris que deux petits verres. Du gin... Et remarquez que j'ai choisi le gin parce que c'est l'alcool le moins fort. Sinon, j'aurais bu du *scotch*. J'étais très fatigué et je me suis dit : « Ronald, si tu prends un gin, un seul... »

» Seulement j'en ai pris trois... Est-ce que j'ai dit trois?... Je ne sais plus... Je suis un dégoûtant, et c'est avec votre argent que j'ai fait ça.

» Mettez-moi à la porte.

» Ou plutôt non, ne m'y mettez pas encore, parce que j'ai quelque chose pour vous... Attendez... Quelque chose d'important qui va me revenir... Si du moins nous étions à l'air... Voulez-vous que nous allions prendre l'air?... »

Il reniflait, se mouchait.

— Je mangerai malgré tout un morceau... Pas avant que je vous aie dit... Un instant... Oui... J'ai revu mon ami, hier soir... Germain... Vous vous souvenez de Germain?... Pauvre Germain! Imaginez un homme qui a eu une vie active, qui a suivi les cirques à travers le monde entier et qui est cloué dans un fauteuil à roulettes.

» Avouez qu'il vaudrait mieux être mort... Qu'est-ce que je dis?... N'allez pas penser que je souhaite sa mort. Mais, si c'était à moi que cela devait arriver, j'aimerais mieux être mort. Voilà ce que je voulais dire.

» Eh bien! j'avais eu raison d'affirmer que Ger-

main ferait tout pour moi... C'est un homme qui
se couperait en petits morceaux pour les autres.

» Il n'a l'air de rien, comme ça... Il grogne... On
le prendrait pour un vieil égoïste. Et pourtant, il a
passé des heures à feuilleter ses dossiers, pour retrouver des traces de *J and J*. Tenez, j'ai encore un papier. »

Il pâlissait, verdissait, fouillait ses poches avec
angoisse et on se demandait s'il n'allait pas éclater
en sanglots.

— Je mérite d'être...

Mais non. Il ne méritait rien du tout, puisqu'il
retrouvait enfin le document sous son mouchoir.

— Ce n'est pas très propre. Mais vous allez comprendre.

C'était, cette fois, le programme d'une tournée
qui avait parcouru la province américaine trente
ans plus tôt. En grosses lettres, le nom d'une gom-
meuse dont on voyait la photographie sur la couver-
ture, puis d'autres noms, un couple d'équilibristes,
un comique, Robson, la voyante Lucile, et enfin,
tout au bout de la liste, les musiciens fantaisistes
J and J.

— Lisez bien les noms... Robson est mort dans
un accident de chemin de fer, il y a dix ou quinze
ans, je ne sais plus... C'est Germain qui me l'a appris.
Vous souvenez-vous que je vous ai dit hier que Germain avait une vieille amie qui vient le voir tous les
mercredis? Est-ce que vous ne trouvez pas ça émou-
vant, vous?... Et, vous savez, il n'y a jamais rien eu
entre eux, pas ça!

Il allait s'attendrir à nouveau.

— Je ne l'ai jamais vue. Il paraît qu'elle était
très maigre et très pâle à cette époque-là, si maigre
et si pâle qu'on l'appelait l'Ange. Eh bien! maintenant, elle est si grosse que... Nous allons manger,

n'est-ce pas?... Je ne sais pas si c'est à cause du gin, mais j'ai des crampes... C'est dégoûtant de vous réclamer encore de l'argent... Qu'est-ce que je disais?... L'Ange, Lucile... La vieille amie de Germain... C'est aujourd'hui mercredi... Sûrement qu'elle sera chez lui vers les cinq heures... Elle apportera un petit gâteau, comme toutes les semaines... Je vous jure que je n'y toucherai pas si nous y allons... Parce que cette vieille femme qu'on a appelée l'Ange et qui apporte chaque semaine à Germain un gâteau...

— Vous avez prévenu votre ami que nous viendrions?

— Je lui ai dit que peut-être... Je pourrais passer vous prendre à quatre heures et demie... C'est assez loin, surtout par le *subway*, parce que la ligne n'est pas directe.

— Venez!

Maigret avait décidé tout à coup de ne pas lâcher son clown décidément par trop lugubre et, après qu'il l'eut fait manger, il le ramena à son hôtel et le fit coucher sur le canapé de peluche verte.

Ensuite, comme la veille, il écrivit une longue lettre à Mme Maigret.

6

Maigret suivait
son clown dans l'escalier dont les marches craquaient
et, parce que Dexter, Dieu sait pourquoi, éprouvait
le besoin de marcher sur la pointe des pieds, le commissaire se surprenait à en faire autant.

L'homme triste, pourtant, avait cuvé son gin
et, s'il gardait les yeux fripés, la langue un peu em-
barrassée, il avait abandonné le ton de lamentation
pour une voix un peu plus ferme.

C'était lui qui avait donné au taxi une adresse
dans Greenwich Village et Maigret découvrait, au
cœur de New-York, à quelques minutes des buil-
dings, une petite ville encastrée dans la ville, une
cité quasi provinciale, avec ses maisons pas plus hautes
qu'à Bordeaux ou à Dijon, ses boutiques, ses rues
calmes où l'on pouvait flâner, ses habitants qui ne
paraissaient pas se soucier de la cité monstrueuse
qui les entourait.

— C'est là, avait-il annoncé.

Alors, Maigret avait senti comme une crainte

dans sa voix, et il avait regardé bien en face son compagnon au *trench-coat* pisseux.

— Vous êtes sûr que vous avez annoncé ma visite ?

— J'ai dit que vous viendriez peut-être.

— Et qu'avez-vous dit que j'étais ?

Il s'y attendait. Le clown se troublait.

— J'allais vous en parler... Je ne savais pas comment m'y prendre, parce que Germain, vous comprenez, est devenu assez sauvage. En plus, quand je suis venu pour le voir la première fois, il m'a fait boire un ou deux petits verres... Je ne sais plus au juste ce que je lui ai raconté, que vous étiez un homme très riche, que vous recherchiez un fils que vous n'aviez jamais vu... Il ne faut pas m'en vouloir... J'ai fait pour le mieux... Au point qu'il en était ému et que c'est pour cela, j'en suis sûr, qu'il s'est dépêché de faire ses recherches.

C'était idiot. Le commissaire imaginait ce que le clown, avec quelques verres dans le nez, avait pu inventer.

Et maintenant Dexter, à mesure qu'on approchait du logement de l'ancien M. Loyal, paraissait hésitant. N'était-il pas capable d'avoir menti sur toute la ligne, même à Maigret ? Non, pourtant, car il y avait la photographie et le programme.

De la lumière sous une porte. Un léger murmure de voix. Dexter qui balbutiait :

— Frappez... il n'y a pas de sonnette.

Maigret frappait. Il y avait un silence. Quelqu'un toussait. Le bruit d'une tasse qu'on pose sur une soucoupe.

— Entrez !

Et on avait l'impression d'accomplir, rien qu'en franchissant l'étroit obstacle d'un paillasson troué, un immense voyage dans l'espace et dans le temps.

On n'était plus à New-York, à deux pas des gratte-ciel qui, à cette heure, jetaient tous leurs feux dans le ciel de Manhattan. Était-on seulement encore à l'époque de l'électricité ?

A voir l'éclairage de la pièce, on aurait juré qu'il venait d'une lampe à pétrole : cette impression était due à un gros abat-jour de soie rouge plissé qui entourait une lampe à pied.

Il n'y avait qu'un cercle de lumière au milieu de la pièce et, dans ce cercle de lumière, un homme dans un fauteuil roulant, un vieillard, qui avait dû être très gros, était encore volumineux, remplissait entièrement le fauteuil, mais était si flasque qu'il paraissait s'être soudain dégonflé. Quelques cheveux blancs, fort longs, flottaient autour de son crâne nu, et il penchait la tête en avant pour regarder les intrus par-dessus les verres de ses lunettes.

— Je m'excuse de vous déranger, prononçait Maigret derrière qui le clown se cachait.

Il y avait une autre personne dans la pièce, aussi grosse que Germain, le visage mauve, les cheveux d'un blond invraisemblable, et elle souriait d'une petite bouche mal peinte.

N'était-on pas dans quelque coin d'un musée de cires ? Non, puisque les personnages bougeaient, puisque le thé fumait dans les deux tasses posées sur un guéridon à côté d'un gâteau découpé.

— Ronald Dexter m'a dit que, ce soir, je trouverais peut-être ici les renseignements que je cherche.

On ne voyait pas les murs, couverts qu'ils étaient d'affiches, de photographies. Une chambrière d'honneur, au manche encore entouré de rubans multicolores, occupait une place bien en vue.

— Vous voulez donner un siège à ces messieurs, Lucile ?

La voix était restée telle qu'elle était sans doute au temps où l'homme, à l'entrée de la piste, interpellait les clowns et les augustes, et elle détonnait singulièrement dans cette pièce trop petite et si encombrée que la pauvre Lucile était bien en peine de débarrasser deux chaises noires, au fond recouvert de velours rouge.

— Ce jeune homme qui m'a connu jadis... disait le vieillard.

Ce début n'était-il pas tout un poème? D'abord Dexter, aux yeux du vieil homme de cirque, devenait un jeune homme. Il y avait ensuite le *qui m'a connu jadis* et non *que j'ai connu jadis...*

— M'a mis au courant de votre pénible situation. Si votre fils avait appartenu au monde du cirque, ne fût-ce que pendant quelques semaines, je puis vous jurer que vous n'auriez eu qu'à venir me dire :

» — Germain, c'était en telle année... Il faisait partie de tel numéro... Il était comme ceci et comme ça...

» Et Germain n'aurait pas eu besoin de fouiller ses archives.

Son geste désignait les piles de papier qu'on voyait partout, sur les meubles et sur le plancher, sur le lit même, car Lucile avait dû en poser là afin de débarrasser deux chaises.

— Germain a tout ça ici.

Il montrait son crâne et le frappait du bout de l'index.

— Mais, du moment qu'il s'agit de café-concert, je vous dis :

» C'est à ma vieille amie Lucile qu'il faut vous adresser. Elle est ici... Elle vous écoute... Donnez-vous la peine de lui parler. »

Maigret avait laissé éteindre sa pipe et pourtant

il en avait besoin pour reprendre pied dans la réalité.
Il la tenait à la main, l'air assez penaud sans doute,
puisque la grosse dame lui dit avec un nouveau
sourire qui ressemblait, à cause des peintures naïves
de son visage, à un sourire de poupée :

— Vous pouvez fumer... Robson fumait la pipe,
lui aussi. Je l'ai fumée moi-même, les années qui
ont suivi sa mort... Vous ne comprenez peut-être
pas, mais c'était encore un peu de lui.

— Vous faisiez un numéro très intéressant, murmura le commissaire par politesse.

— Le meilleur du genre, je ne le cache pas. Tout
le monde vous le dira... Robson était unique... La
prestance, surtout, et vous ne pouvez vous imaginer
combien la prestance compte dans cette spécialité-là.
Il portait l'habit à la française, avec les culottes
collantes et les bas de soie noire. Ses mollets étaient
magnifiques... Attendez!

Elle fouilla non dans un sac à main, mais dans
un réticule de soie à fermoir d'argent et elle en tira
une photographie, une photographie publicitaire,
sur laquelle on voyait le mari, dans la tenue qu'elle
venait de décrire, un loup noir sur le visage, les moustaches cirées, le jarret tendu, brandissant une baguette
de prestidigitateur vers des spectateurs invisibles.

— Et me voici à la même époque.

Une femme sans âge, mince, triste, diaphane,
qui, les mains croisées sous le menton dans une
pose aussi artificielle que possible, fixait le vague
de ses yeux sans expression.

— Je peux dire que nous avons parcouru le monde
entier... Dans certains pays, Robson portait une
cape de soie rouge par-dessus son habit et, avec
un projecteur rouge, il avait vraiment l'air diabolique dans le numéro du cercueil magique... J'espère

que vous croyez à la transmission de la pensée?

Il faisait étouffant. On avait une envie folle d'un bol d'air, mais d'épais rideaux de peluche déteinte pendaient devant les fenêtres, aussi lourds qu'un rideau de théâtre. Qui sait? Maigret eut l'intuition que ces rideaux avaient peut-être été découpés dans un ancien rideau de scène.

— Germain m'a appris que vous étiez à la recherche de votre fils ou de votre frère.

— De mon frère, se hâta-t-il d'affirmer en pensant soudain qu'aucun des *J and J* ne pouvait matériellement être son fils.

— C'est bien ce que je pensais... Je n'avais pas bien compris... C'est pourquoi je m'attendais à voir un homme âgé... Lequel des deux était votre frère? Le violon ou la clarinette?

— Je ne sais pas, madame.

— Comment, vous ne savez pas?

— Mon frère a disparu alors qu'il était bébé. C'est tout récemment, par hasard, que nous avons retrouvé sa trace.

C'était ridicule. C'était odieux. Et pourtant, il était impossible de dire la simple vérité à ces deux-là, qui se gargarisaient d'artificiel. C'était presque de la charité chrétienne à leur égard et, le plus fort, c'est que cet imbécile de Dexter, qui savait pourtant que c'était une fable, avait l'air de s'y laisser prendre et commençait déjà à renifler.

— Mettez-vous dans la lumière, que je voie vos traits...

— Je ne crois pas qu'il y ait eu de ressemblance entre mon frère et moi.

— Qu'en savez-vous, puisqu'il a été enlevé tout jeune.

Été enlevé!... Enfin!... Maintenant, il fallait aller jusqu'au bout de la comédie.

— A mon avis, ce serait plutôt Joachim... Non, attendez... Il y a quelque chose de Joseph dans le front... Mais, au fait, est-ce que je ne me trompe pas dans les noms ?... Figurez-vous que je me suis toujours trompée... Il y en avait un avec de longs cheveux blonds de fille, des cheveux à peu près de la même couleur que les miens...

— Joachim, je pense, dit Maigret.

— Laissez-moi chercher... Comment le sauriez-vous ?... L'autre était un peu plus râblé et portait des verres... C'est drôle !... Nous avons vécu presque un an ensemble et il y a des choses dont je ne me souviens pas, d'autres que je revois comme si c'était hier... Nous avions tous signé pour une tournée dans les États du Sud, le Mississipi, la Louisiane, le Texas... C'était très dur, parce que les gens, par là-bas, étaient encore presque sauvages... Il y en avait qui venaient à cheval à la représentation... Une fois, ils ont tué un nègre pendant notre numéro, je ne sais plus pourquoi.

» Ce que je me demande, c'est avec lequel des deux était Jessie.

» Était-ce Jessie ou Bessie ?... Plutôt Bessie... Non, Jessie !... Je suis sûre que c'était Jessie, parce que j'ai remarqué une fois que cela faisait trois *J* : Joseph, Joachim et Jessie... »

Si seulement Maigret avait pu poser des questions, posément, obtenir des réponses précises ! Mais il fallait la laisser parler, suivre les méandres compliqués de sa pensée de vieille femme qui ne devait jamais avoir été bien raisonnable.

— Pauvre petite Jessie... Elle était touchante... Je l'avais prise sous ma protection, car elle était dans une situation délicate.

Quelle pouvait être cette situation délicate? Cela viendrait sans doute à son heure.

— Elle était fine et menue... J'étais fine et menue aussi, à cette époque-là, fragile comme une fleur. On m'appelait l'Ange, vous savez?

— Je sais.

— C'est Robson qui m'avait donné ce nom-là... Il ne disait pas « mon ange » ce qui est banal, mais « l'Ange »... Je ne sais pas si vous saisissez la nuance... Bessie... Non, Jessie était toute jeune... Je me demande si elle avait dix-huit ans. Et on sentait qu'elle avait été malheureuse. Je n'ai jamais su où ils l'avaient trouvée... Je dis « ils », parce que je ne me souviens pas si c'était Joseph ou Joachim. Comme ils ne se quittaient pas tous les trois, on se posait forcément la question.

— Quel rôle jouait-elle dans votre tournée?

— Aucun rôle. Ce n'était pas une artiste. C'était une orpheline, sûrement, car je ne l'ai jamais vue écrire à personne. Ils ont dû la recueillir au chevet de sa mère.

— Et elle suivait la troupe?

— Elle nous suivait partout. C'était très fatigant L'impresario était une brute. Vous l'avez connu, Germain?

— Son frère est encore à New-York... On m'en a parlé la semaine dernière... Il vend des programmes à Madison.

— Il nous traitait comme des chiens... Il n'y avait que Robson à lui tenir tête... Je crois que, si on l'avait laissé faire, il nous aurait donné la pâtée comme à des bêtes pour économiser la nourriture... Nous logions dans des taudis pleins de punaises... Il a fini par nous abandonner, à cinquante milles de La Nouvelle-Orléans, en emportant la caisse, et c'est encore Robson...

Heureusement qu'elle décidait soudain de grignoter un morceau de gâteau. Cela donnait un peu de répit, mais elle reprenait bien vite, en s'essuyant les lèvres d'un mouchoir de dentelles :

— *J and J*, excusez-moi de vous dire ça, puisque l'un des deux frères est votre frère — je parie que c'est Joseph — *J and J* n'étaient pas des artistes comme nous, passant en vedette, mais ils étaient inscrits tout en fin de programme... Il n'y a pas de déshonneur à cela... Ne m'en veuillez pas si je vous ai froissé.

— Mais non !... Mais non !...

— Ils gagnaient très peu, pour ainsi dire rien, mais leur voyage était payé, et la nourriture, pour autant qu'on puisse appeler cela de la nourriture... Seulement, il y avait Jessie... Il leur fallait payer les billets de chemin de fer pour Jessie... Et les repas... Pas toujours les repas... Tenez, je me souviens... Je parie que je suis en contact avec Robson.

Et son énorme poitrine se soulevait dans son corsage, ses petits doigts boudinés s'agitaient.

— Pardonnez-moi, monsieur. Je suppose que vous croyez à la survie ? Sinon, vous ne mettriez pas tant de passion à rechercher votre frère qui est peut-être mort. Je sens que Robson vient d'entrer en communication avec moi... Je le sais, j'en suis sûre. Laissez-moi me recueillir et il me dira, lui, tout ce que vous avez besoin de savoir.

Le clown était si impressionné qu'il poussa une sorte de gémissement. Mais n'était-ce pas à la vue du gâteau dont on ne pensait pas à lui offrir un morceau ?

Maigret regardait fixement par terre en se demandant combien de temps encore il tiendrait le coup.

— Oui, Robson... J'écoute... Germain, vous ne voulez pas baisser la lumière ?

Ils devaient avoir tous les deux l'habitude de
ces séances de spiritisme, car Germain, sans quitter son fauteuil à roulettes, tendit le bras et, tirant
sur une chaînette, éteignit une des deux ampoules
qui se trouvaient dans le lampadaire de soie rouge.

— Je les vois, oui... Près d'un grand fleuve...
Et il y a des plantations de coton partout... Aide-
moi, encore Robson, mon chéri... Aide-moi comme
tu le faisais jadis... Une grande table... Nous sommes
tous là et c'est toi qui es à la place d'honneur... *J and J*.
Attends... Elle est entre nous deux. C'est une grosse
négresse qui nous sert...

Le clown faisait entendre un nouveau gémissement, mais elle continuait d'une voix monotone
qu'elle devait prendre jadis dans son numéro de
voyante :

— Jessie est très pâle... Nous avons roulé en train...
Nous avons roulé longtemps... Le train s'est arrêté
en pleine campagne... Tout le monde est fourbu...
L'impresario est parti pour coller les affiches... Et
J and J coupent chacun un morceau de leur viande
pour le donner à Jessie.

Cela aurait été plus simple pour elle, évidemment,
de raconter les choses sans ce fatras mystico-théâtral.
Maigret avait envie de lui dire :

— Des faits, voulez-vous ?... Et parlez comme
tout le monde.

Mais, si une Lucile s'était mise à parler comme
tout le monde, si un Germain s'était mis à regarder
ses souvenirs en face, auraient-ils eu la force de vivre
l'un et l'autre ?

— ... Et partout où je les vois c'est la même chose...
Ils sont deux auprès d'elle et ils partagent leur repas...
Parce qu'ils n'ont pas assez d'argent pour lui payer
un vrai dîner.

— Vous disiez que la tournée a duré un an?

Elle feignit de se débattre, ouvrit péniblement les paupières, balbutia :

— J'ai dit quelque chose?... Je vous demande pardon... J'étais avec Robson.

— Je vous demandais combien de temps la tournée avait duré.

— Plus d'un an.... Nous étions partis pour trois ou quatre mois... Mais il en est toujours ainsi... Il arrive en route des tas d'accidents... Puis il y a la question d'argent... On n'a jamais assez d'argent pour revenir... Alors, on continue, on va de ville en ville et jusque dans les villages.

— Vous ne savez pas lequel des deux était amoureux de Jessie?

— Je ne sais pas... Peut-être était-ce Joachim? C'est votre frère, n'est-ce pas?... Je suis persuadée que vous avez des traits de Joachim... C'était mon préféré et il jouait du violon à ravir... Pas dans son numéro, car, dans son numéro, il ne faisait que des fantaisies. Mais, quand nous étions par hasard pour un jour ou deux dans le même hôtel...

Il la voyait, dans quelque hôtel en planches du Texas ou de la Louisiane, reprisant les bas de soie noire de son mari... Et cette Jessie qui, aux repas, grignotait humblement un peu de la part des deux hommes.

— Vous n'avez jamais su ce qu'ils étaient devenus?

— Comme je vous l'ai dit, la troupe s'est disloquée à La Nouvelle-Orléans, parce que l'impresario nous avait laissés en plan... Robson et moi avons tout de suite obtenu un engagement, car notre numéro était connu... Je ne sais pas comment les autres ont gagné l'argent nécessaire à payer le train.

— Vous êtes revenue immédiatement à New-York ?

— Je crois... Je ne me souviens plus exactement... Mais je sais qu'une fois j'ai revu un des deux *J* dans le bureau d'un impresario de Broadway... Cela ne devait pas être longtemps après... Ce qui me le fait penser, c'est que j'avais mis une des robes que je portais pendant la tournée... Lequel des deux était-ce ?... Cela m'a frappée de le voir tout seul... On ne les apercevait jamais l'un sans l'autre...

Sans transition, alors que personne ne s'y attendait, Maigret se leva tout d'une pièce. Il avait l'impression qu'il ne pourrait pas tenir cinq minutes de plus dans cette atmosphère étouffante.

— Excusez-moi de mon intrusion chez vous... dit-il, tourné vers le vieux Germain.

— S'il avait été question du cirque au lieu du café-concert... répétait celui-ci, comme un vieux disque.

Et elle :

— Je vais vous laisser mon adresse... Je donne encore des consultations privées... J'ai une petite clientèle de gens très bien, qui ont confiance en moi... Et, à vous, je peux dire la vérité : c'est Robson qui continue à m'aider... Je ne l'avoue pas toujours, parce qu'il y a des gens qui ont peur des esprits.

Elle lui tendait une carte qu'il fourra dans sa poche. Le clown eut un dernier regard au gâteau et saisit son chapeau.

— Je vous remercie encore une fois.

Ouf ! Jamais il ne descendit escalier aussi vite et, une fois dans la rue, il respira à pleins poumons : il lui sembla qu'il reprenait pied sur la terre des hommes, les réverbères devenaient soudain comme des amis que l'on retrouve après une longue absence.

Il y avait des boutiques éclairées, des passants, un gamin en chair et en os qui marchait à cloche-pied au bord du trottoir.

Il est vrai qu'il restait l'autre, le clown, qui trouvait le moyen de murmurer de sa voix lamentable :

— J'ai fait ce que j'ai pu...

Encore cinq dollars, évidemment!

Ils dînaient une fois de plus en tête à tête dans un restaurant français. En rentrant au *Berwick*, Maigret avait trouvé un avis téléphonique d'O'Brien lui demandant de l'appeler dès son retour.

— J'ai ma soirée, comme je l'espérais, lui annonçait-il un peu plus tard. Si vous êtes libre, de votre côté, nous pourrons dîner ensemble et bavarder.

Il y avait déjà plus d'un quart d'heure qu'ils étaient face à face et il n'avait encore rien dit ; il se contentait, tout en commandant son menu, de lancer à Maigret de petits sourires à la fois ironiques et satisfaits.

— Vous n'avez pas remarqué, murmura-t-il enfin en entamant un magnifique châteaubriant, que vous étiez à nouveau suivi ?

Le commissaire fronça les sourcils non parce que cela l'inquiétait sur-le-champ, mais parce qu'il était vexé de ne pas y avoir pris garde.

— Je m'en suis aperçu tout de suite en venant vous prendre au *Berwick*... Cette fois, il ne s'agit plus de Bill, mais d'un individu qui a écrasé le vieil Angelino... Je parie tout ce que vous voulez qu'il est à la porte.

— Nous le verrons bien en sortant.

— Je ne sais pas à quelle heure il a pris sa faction... Avez-vous quitté l'hôtel cet après-midi?

Et, cette fois, Maigret leva la tête en montrant des yeux angoissés, resta un moment à réfléchir et finit par donner un coup de poing sur la table en lâchant un « Merde! » qui fit sourire derechef son interlocuteur roux.

— Vous avez accompli des démarches très compromettantes?

— Votre homme est brun, évidemment, puisqu'il est Sicilien... Il porte un chapeau gris très clair, n'est-ce pas?

— C'est exact.

— Dans ce cas, il se trouvait dans le hall de l'hôtel lorsque je suis descendu de ma chambre avec mon clown, vers cinq heures... Nous nous sommes bousculés en nous précipitant en même temps vers la porte.

— Donc, il vous suit depuis cinq heures.

— Et dans ce cas...

Allait-il en être encore, cette fois, comme il en avait été avec le pauvre Angelino?

— Vous ne pouvez rien faire, vous autres, de la police officielle, dit-il avec humeur, pour protéger les gens?

— Cela dépend peut-être de la menace qui pèse sur eux.

— Vous auriez protégé l'ancien tailleur?

— En sachant ce que je sais maintenant, oui.

— Eh bien! il y a deux autres personnes à protéger, et je pense que vous feriez bien de faire le nécessaire avant de terminer ce châteaubriant.

Il donna l'adresse de Germain. Puis il tendit la carte de la voyante extra-lucide qu'il avait dans sa poche.

— Il doit y avoir le téléphone ici.

— Vous permettez?

Tiens! tiens! L'imperturbable capitaine à tête de mouton n'ironisait plus, ne mettait plus en avant la fameuse liberté individuelle!

Il resta très longtemps au téléphone et Maigret en profita pour aller jeter un coup d'œil dans la rue. Sur le trottoir d'en face, il reconnut le chapeau gris clair qu'il avait aperçu dans le hall de son hôtel, et quand il se rassit, il but coup sur coup deux grands verres de vin.

O'Brien ne tarda pas à revenir et il eut la politesse — ou peut-être la malice? — de ne pas poser une seule question et de reprendre tranquillement son repas où il l'avait laissé.

— En somme, grommela Maigret en mangeant sans appétit, si je n'avais pas été là, le vieil Angelino ne serait sans doute pas mort.

Il s'attendait à des dénégations, il les espérait, mais O'Brien se contenta de laisser tomber :

— C'est probable.

— Dans ce cas, si d'autres accidents arrivaient...

— Ce serait par votre faute, n'est-ce pas? C'est ce que vous pensez? Et c'est ce que je pense, moi, depuis le premier jour. Souvenez-vous du dîner que nous avons fait ensemble le soir de votre arrivée.

— Cela signifie-t-il qu'il faut laisser ces gens-là en paix?

— Maintenant, il est trop tard...

— Que voulez-vous dire?

— Il est trop tard, parce que nous nous en occupons aussi, parce que, de toute façon, si même vous abandonnez la partie, si vous embarquez demain pour Le Havre ou Cherbourg, ils continueront de se sentir traqués.

— Little John?

— Je n'en sais rien.

— Mac Gill?

— Je l'ignore. J'ajoute tout de suite que ce n'est pas moi qui m'occupe de cette affaire. Demain ou après-demain, quand le moment viendra, quand mon collègue en exprimera le désir, car cela ne me regarde pas et il reste maître de son enquête, je vous présenterai à lui. C'est un homme très bien.

— Dans votre genre?

— Tout le contraire. C'est pourquoi je dis qu'il est très bien... Je viens de lui téléphoner... Il aimerait que, tout à l'heure, je lui donne quelques précisions sur ces deux personnages qu'il doit protéger.

— C'est une histoire de fous! grogna Maigret.

— Comment?

— Je dis que c'est une histoire de fous! Car il s'agit, sinon de deux fous authentiques, tout au moins de deux pauvres maniaques qui risquent de payer de leur vie les indiscrétions qu'ils ont commises à mon profit... Et, par-dessus le marché, sans le vouloir, à cause de cet imbécile de clown-pleureur, j'ai fait jouer, pour les attendrir, la corde sentimentale.

O'Brien écarquillait les yeux en voyant un Maigret aussi nerveux, qui scandait les syllabes et mâchait les bouchées avec une sorte de rage.

— Vous me direz sans doute que ce que j'ai appris n'est pas grand-chose et que le jeu n'en valait pas la chandelle. Mais nous n'avons peut-être pas tout à fait la même idée sur les enquêtes policières.

Le sourire douceâtre de son interlocuteur l'exaspérait.

— Ma visite de ce matin dans la maison de la 169ᵉ rue vous a amusé aussi, n'est-ce pas, et vous auriez sans doute éclaté de rire si vous m'aviez vu, précédé d'un petit garçon, en train de renifler dans tous les coins et pousser toutes les portes.

» N'empêche que moi, qui ne suis arrivé en Amérique que de quelques jours, je prétends en connaître maintenant plus que vous sur Little John et sur l'autre *J*.

» Question de tempérament, sans doute... Il vous faut des faits, n'est-il pas vrai, des faits précis, tandis qu'à moi... »

Il s'arrêta net, en voyant son interlocuteur sur le point d'éclater de rire, malgré l'effort qu'il faisait sur lui-même, et il préféra rire aussi.

— Je vous demande pardon... J'ai vécu tout à l'heure les minutes les plus idiotes de ma vie... Écoutez.

Et il raconta sa visite au vieux Germain, décrivit la Lucile en transes ou en fausses transes, conclut :

— Comprenez-vous pourquoi je crains pour eux ?... Angelino savait quelque chose et on n'a pas hésité à le supprimer... Est-ce qu'Angelino en savait plus que les autres ? C'est probable... Mais je suis resté une heure entière chez l'ancien M. Loyal. Lucile s'y trouvait.

— Évidemment... Et pourtant, je ne pense pas que le danger soit pareil.

— Parce que vous pensez comme moi, je parie, que c'est dans la 169ᵉ rue que ces gens-là flairent le danger ?

Un signe de tête affirmatif.

— Ce qu'il serait urgent de savoir, c'est si cette Jessie a habité, elle aussi, l'immeuble en face du tailleur... Est-il possible de retrouver, dans les archives de la police, les traces d'un drame ou d'un accident qui se serait produit il y a une trentaine d'années dans la maison ?

— C'est plus compliqué que chez vous... Surtout si le drame n'a pas été ce que je pourrais appeler un drame officiel, s'il n'y a pas eu d'enquête... En France, je m'en souviens, on retrouverait au commissariat la trace de tous les locataires qui ont habité la maison et, s'il y a lieu, la mention de leur décès.

— Parce que vous croyez aussi...

— Je ne crois rien... Je vous répète que ce n'est pas moi qui suis chargé de l'enquête... Je suis sur une affaire toute différente, qui me prendra encore des semaines, sinon des mois... Tout à l'heure, quand nous aurons bu notre fine, je téléphonerai à mon collègue... Au fait, je sais qu'il s'est rendu cet après-midi dans les bureaux de l'Immigration... Là, tout au moins, on tient un registre de toutes les personnes entrées aux États-Unis... Attendez... J'ai noté ça sur un bout de papier.

Toujours les mêmes gestes nonchalants, comme pour minimiser l'importance de ce qu'il faisait. Peut-être, après tout, était-ce davantage une sorte de pudeur vis-à-vis de Maigret que de la prudence administrative ?

— Voici la date de l'entrée de Maura aux États-Unis... *Joachim Jean-Marie Maura, né à Bayonne, 22 ans, violoniste...* Le nom du navire, qui n'existe plus depuis longtemps : l'*Aquitaine*... Quant au second *J*, il ne peut s'agir que de *Joseph-Ernest-Dominique Daumale, 24 ans, né à Bayonne*, lui aussi... Il ne s'est pas inscrit comme clarinettiste, mais comme compositeur de musique... Je crois que vous saisissez la différence ?

» On m'a donné un autre renseignement qui est peut-être sans importance, mais que je crois devoir vous transmettre... Deux ans et demi après son débarquement, Joachim Maura, qui se faisait déjà appeler John Maura, et qui donnait comme adresse à New-York l'immeuble que vous connaissez dans la 169e rue, a quitté l'Amérique pour l'Europe, où il est resté un peu moins de dix mois.

» On retrouve la trace de son retour, après ce laps de temps, à bord d'un bateau anglais, le *Mooltan*.

» Je ne crois pas que mon collègue se donne la peine de câbler en France à ce sujet. Mais, tel que je vous connais... »

Maigret y avait pensé, au moment précis où son interlocuteur lui parlait de Bayonne. Déjà, dans son esprit, se rédigeait le câble pour la police de cette ville :

Prière envoyer urgence tous les détails sur Joachim-Jean-Marie Maura et sur Joseph-Ernest-Dominique Daumale, partis de France le...

Ce fut l'Américain qui eut l'idée de commander deux vieux armagnacs, dans des verres à dégustation. Il fut le premier aussi à allumer sa pipe.

— A quoi pensez-vous ? questionna-t-il comme Maigret restait lourd et rêveur, son verre d'alcool sous les narines.

— A Jessie.

— Et vous vous demandez ?

C'était presque à un jeu qu'ils jouaient, l'un avec son éternel sourire comme passé à la gomme pour être plus discret, l'autre avec une moue de faux bourru.

— Je me demande de qui elle est la maman ?

Un instant, le sourire de l'homme roux s'effaça tandis qu'il murmurait en avalant une gorgée :

— Cela dépendra de l'acte de décès, n'est-ce pas ?

Ils s'étaient compris. Ils n'avaient envie, ni l'un ni l'autre, de préciser davantage leur pensée.

Maigret, pourtant, ne put s'empêcher de grommeler, en feignant une mauvaise humeur qui n'existait déjà plus :

— Si on le retrouve !... Avec votre sacrée liberté

individuelle qui vous empêche de tenir un registre
de qui vit et de qui meurt!

— La même chose, garçon! se contenta de commander O'Brien en désignant les verres vides.

Et il ajouta :

— Votre pauvre Sicilien doit crever de soif sur le
trottoir.

CHAPITRE

7

Il ÉTAIT TARD, PAS loin de dix heures sans doute. La montre de Maigret était arrêtée et le *Berwick* ne poussait pas, comme le *Saint-Régis*, la sollicitude envers ses clients jusqu'à encastrer des horloges électriques dans les cloisons. A quoi bon savoir l'heure, d'ailleurs ? Maigret, ce matin-là, n'était pas pressé. A vrai dire, il n'avait aucun emploi du temps. Pour la première fois, depuis qu'il avait débarqué à New-York, il était accueilli à son réveil par un soleil vraiment printanier : il en pénétrait un petit bout dans sa chambre et dans la salle de bains.

A cause de ce soleil, d'ailleurs, il avait accroché son miroir à l'espagnolette de la fenêtre, et c'était là qu'il se rasait, comme à Paris, boulevard Richard-Lenoir, où, le matin, il avait toujours un rayon de soleil sur la joue quand il se faisait la barbe. N'est-ce pas une erreur de croire que les grandes villes sont différentes les unes des autres, même quand il s'agit de New-York, que toute une littérature représente comme une sorte de monstrueuse machine à malaxer les hommes ?

Il y était, à New-York, lui, Maigret, et il y avait
une espagnolette à bonne hauteur pour se raser, un
rayon de soleil oblique qui lui faisait cligner de l'œil
et, en face, dans des bureaux ou des ateliers, deux
jeunes filles en blouse blanche qui riaient de lui.

Or il ne devait, ce matin-là, se raser qu'en trois fois,
car, à deux reprises, la sonnerie du téléphone l'interrompit. La première fois, la voix semblait lointaine,
une voix qui lui rappelait des souvenirs récents, mais
qu'il ne reconnaissait pas.

— Allô... Le commissaire Maigret ?...

— Oui.

— C'est bien le commissaire Maigret ?

— Mais oui.

— C'est le commissaire Maigret qui est à l'appareil ?

— Mais oui, sacrebleu !

Alors la voix, si lamentable qu'elle en devenait
tragique :

— Ici, Ronald Dexter.

— Oui. Eh bien ?

— Je suis navré de vous déranger, mais il faut absolument que vous m'accordiez un entretien.

— Vous avez du nouveau ?

— Je vous supplie de m'accorder un entretien le
plus tôt possible.

— Vous êtes loin d'ici ?

— Pas très loin.

— C'est urgent ?

— Très urgent.

— Dans ce cas, venez tout de suite à l'hôtel et
montez dans ma chambre.

— Je vous remercie.

Maigret avait commencé par sourire. Puis, à la
réflexion, il avait trouvé dans l'accent du clown
quelque chose qui l'inquiétait.

Il avait à peine recommencé à se savonner les joues
que le téléphone l'appelait à nouveau dans la chambre.
Il s'essuya tant bien que mal.

— Allô.

— Commissaire Maigret ?

Une voix nette, cette fois, presque trop, avec un
accent américain prononcé.

— Lui-même.

— Ici, lieutenant Lewis !

— Je vous écoute.

— Mon collègue O'Brien m'a dit que j'aurais intérêt
à me mettre le plus tôt possible en rapport avec vous.
Puis-je vous rencontrer ce matin ?

— Pardon, lieutenant, de vous demander ça, mais
ma montre est arrêtée. Quelle heure est-il ?

— Dix heures et demie.

— Je serais volontiers passé par votre bureau. Par
malheur, il y a un instant, j'ai donné un rendez-vous
dans ma chambre. Il est possible, d'ailleurs, et même
probable, qu'il s'agisse d'une chose qui vous intéresse.
Est-ce que cela ne vous ennuie pas de venir me voir
dans ma chambre du *Berwick* ?

— J'y serai dans vingt minutes.

— Il y a du nouveau ?

Maigret était sûr que son interlocuteur était encore
au bout du fil quand il avait posé la question, mais le
lieutenant feignit de ne pas avoir entendu et raccrocha.

Et de deux ! Il ne lui restait qu'à achever de se raser
et de s'habiller. Il venait de téléphoner au *room-
service* pour commander son petit déjeuner quand on
frappa à la porte.

C'était Dexter. Un Dexter que Maigret, qui commençait pourtant à connaître le phénomène, regarda
avec ahurissement.

Jamais de sa vie il n'avait vu un homme aussi pâle

et donnant davantage l'impression d'un somnambule lâché en plein jour dans New-York.

Le clown n'était pas ivre. D'ailleurs, il n'avait pas son expression pleurnicheuse des moments d'ivresse. Au contraire, il paraissait maître de lui, mais d'une façon spéciale.

Très exactement, il ressemblait debout, dans l'encadrement de la porte, aux acteurs qui, dans les films comiques, viennent de recevoir un coup de matraque sur la tête et qui restent debout un bon moment, le regard vide, avant de s'écrouler.

— Monsieur le commissaire..., commença-t-il, avec une certaine peine à articuler.

— Entrez et fermez la porte.

— Monsieur le commissaire...

Alors Maigret comprit que l'homme n'était pas ivre, mais qu'il avait une gueule de bois carabinée. Il ne tenait debout que par miracle. Le moindre mouvement devait mettre du tangage et du roulis sous son crâne et son visage se crispait de douleur, ses mains, machinalement, cherchaient l'appui de la table.

— Asseyez-vous!

Il fit signe que non. Sans doute, s'il s'était assis aurait-il sombré dans un sommeil comateux?

— Monsieur le commissaire, je suis une canaille.

Sa main qui tremblait avait, pendant qu'il parlait, fouillé la poche du veston et elle déposait sur la table des billets pliés, des billets de banque américains que le commissaire fixait avec étonnement.

— Il y a cinq cents dollars.

— Je ne comprends pas.

— Cinq gros billets de cent dollars. Ils sont neufs. Ce ne sont pas de faux billets, ne craignez rien. C'est la première fois de ma vie que j'ai possédé cinq cents

dollars à la fois. Comprenez-vous ça ? *Cinq cents
dollars à la fois dans ma poche.*

Le maître d'hôtel entrait avec un plateau, du café,
des œufs au bacon, des confitures, et Dexter le bou-
limique, Dexter qui avait toujours eu faim, comme il
avait toujours eu envie de cinq cents dollars à la fois,
Dexter eut une nausée à l'odeur du bacon et des œufs,
à la vue de choses à manger. Il détourna la tête,
comme prêt à vomir.

— Vous ne voulez pas boire quelque chose ?

— De l'eau.

Et il en but deux, trois, quatre verres coup sur coup,
sans reprendre haleine.

— Pardonnez-moi. Tout à l'heure, j'irai me coucher.
Il fallait d'abord que je vienne vous voir.

Des gouttes de sueur perlaient sur son front pâle
et il se tenait à la table, ce qui n'empêchait pas son
grand corps maigre de se balancer dans un mouvement
involontaire.

— Vous direz au capitaine O'Brien, qui m'a toujours
pris pour un honnête homme et qui m'a recommandé
à vous, que Dexter est une canaille.

Il poussait les billets de banque vers Maigret.

— Prenez-les. Faites-en ce que vous voudrez. Ils
ne m'appartiennent pas. Cette nuit... cette nuit...

Il avait l'air de prendre son élan pour franchir le
cap le plus difficile.

— ... cette nuit, je vous ai trahi pour cinq cents
dollars.

Téléphone.

— Allô ! Comment ? Vous êtes en bas ? Montez,
lieutenant. Je ne suis pas seul, mais cela n'a pas d'importance.

Et le clown questionna avec un sourire amer :

— La police ?

— Ne craignez rien. Vous pouvez parler devant le lieutenant Lewis. C'est un ami d'O'Brien.

— On fera de moi ce qu'on voudra. Cela m'est égal. Seulement, j'aimerais que cela aille vite.

Il oscillait littéralement sur ses jambes.

— Entrez, lieutenant. Je suis heureux de faire votre connaissance. Vous connaissez Dexter ? Peu importe, O'Brien le connaît. Je pense qu'il a des choses fort intéressantes à me dire. Voulez-vous vous asseoir dans ce fauteuil pendant qu'il parle et que je prends mon petit déjeuner ?

La chambre était presque gaie, grâce au soleil qui la traversait de biais et qui y mettait tout un fourmillement de fine poussière dorée.

Maigret, pourtant, se demandait s'il avait bien fait de prier le lieutenant d'assister à la conversation. O'Brien ne lui avait pas menti en lui disant la veille que c'était un homme aussi différent de lui que possible.

— Enchanté de faire votre connaissance, commissaire.

Seulement, il disait cela sans un sourire. On sentait qu'il était en service commandé et il alla s'asseoir dans un fauteuil, croisa les jambes, alluma une cigarette et, alors que Dexter n'avait pas encore ouvert la bouche, il tirait déjà un carnet et un crayon de sa poche.

Il était de taille moyenne, de corpulence plutôt en dessous de la moyenne, avec un visage d'intellectuel, de professeur, par exemple, un long nez, des lunettes aux verres épais.

— Vous pouvez noter ma déposition si c'est nécessaire..., prononçait Dexter comme s'il se voyait par avance condamné à mort.

Et le lieutenant ne bronchait pas, l'observait d'un œil parfaitement froid, le crayon en l'air.

— Il était peut-être onze heures du soir. Je ne sais plus. Peut-être aux environs de minuit. Du côté de City Hall. Mais je n'étais pas saoul. Je jure que je n'étais pas saoul et vous pouvez me croire.

» Deux hommes se sont accoudés au comptoir à côté de moi et j'ai tout de suite compris que ce n'était pas par hasard, mais qu'ils me cherchaient.

— Vous les reconnaîtriez? questionna le lieutenant.

Dexter le regarda, puis regarda Maigret, comme pour lui demander à qui il devait s'adresser.

— Ils me cherchaient. Ce sont des choses qui se sentent. J'ai eu le pressentiment qu'ils étaient de la bande.

— Quelle bande?

— Je suis très fatigué, articula-t-il. Si on me coupe tout le temps...

Et Maigret ne pouvait s'empêcher de sourire tout en mangeant ses œufs.

— Ils m'ont offert à boire, et moi je savais que c'était pour me tirer les vers du nez. Vous voyez que je n'essaie pas de mentir, ni de me chercher des excuses. Je savais aussi que, si je buvais, j'étais perdu, et pourtant j'ai accepté les *scotches*, quatre ou cinq, je ne sais plus au juste.

» Ils m'appelaient Ronald, bien que je ne leur aie pas dit mon nom.

» Ils m'ont emmené dans un autre bar. Puis dans un autre encore, mais cette fois en auto. Et, dans ce bar-là, nous sommes montés tous les trois dans une salle de billard où il n'y avait personne.

» Je me demandais s'ils voulaient me tuer.

» — *Assieds-toi, Ronald!...* me dit alors le plus gros des deux après avoir fermé la porte à clef. *Tu es un pauvre bougre, n'est-ce pas? Tu as été toute ta vie un pauvre bougre. Et, si tu n'as jamais rien pu faire de bon. c'est que tu as toujours manqué de capital pour commencer.*

» Vous savez, monsieur le commissaire, comme je suis quand j'ai bu. Je vous l'ai dit moi-même. On ne devrait jamais me laisser boire.

» Je me suis revu tout petit. Je me suis revu à tous les âges de ma vie, toujours pauvre type, toujours courant après quelques dollars et je me suis mis à pleurer ».

Quelles étaient les notes que pouvait prendre le lieutenant Lewis ? Car il écrivait de temps en temps un mot ou deux dans son carnet et il était aussi grave que s'il eût interrogé le plus dangereux des criminels.

— Alors, le plus gros a tiré des billets de banque de sa poche, de beaux billets neufs, des cent dollars. Il y avait une table avec une bouteille de whisky et des sodas. Je ne sais pas qui les avait apportés, car je ne me souviens pas avoir vu entrer le garçon.

» — *Bois, imbécile,* qu'il m'a dit.

» Et j'ai bu. Puis il a plié les billets, après les avoir comptés sous mes yeux, et il les a fourrés dans la poche extérieure de mon veston.

» — *Tu vois que nous sommes gentils avec toi. On aurait pu t'avoir autrement, en te faisant peur, car tu es un froussard. Mais nous, les pauvres types comme toi, on aime mieux les payer. Tu comprends ?*

» *Et maintenant, à table ! Tu vas nous dire tout ce que tu sais. Tout, tu entends ? »*

Le clown regarda le commissaire de ses yeux pâles et articula :

— J'ai tout dit.

— Dit quoi ?

— Toute la vérité.

— Quelle vérité ?

— Que vous saviez tout.

Le commissaire ne comprenait pas encore et, les sourcils froncés, allumait sa pipe en réfléchissant. Il se demandait en réalité s'il devait rire ou prendre au sérieux son clown affligé de la pire gueule de bois qu'il ait vue de sa vie.

— Que je savais quoi ?

— D'abord la vérité sur *J and J*.

— Mais quelle vérité, tonnerre de Dieu ?

Le pauvre type le fixait avec ahurissement, comme s'il se fût demandé pourquoi Maigret faisait soudain des cachotteries avec lui.

— Que Joseph, celui à la clarinette, était le mari ou l'amant de Jessie. Vous le savez bien.

— Vraiment ?

— Et qu'ils ont eu un enfant.

— Pardon ?

— Jos Mac Gill. Remarquez d'ailleurs le prénom de Jos. Et les dates correspondent. Je vous ai vu vous-même calculer. Maura, c'est-à-dire Little John, était amoureux aussi et il était jaloux. Il a tué Joseph. Peut-être qu'il a tué Jessie ensuite. A moins qu'elle soit morte de chagrin.

Le commissaire regardait maintenant son clown avec stupeur. Et, ce qui l'étonnait le plus, c'était de voir le lieutenant Lewis prendre fébrilement des notes.

— Quand, plus tard, Little John a gagné de l'argent, il a eu des remords et il s'est occupé de l'enfant, mais sans jamais aller le voir. Au contraire, il l'a envoyé au Canada en compagnie d'une certaine Mme Mac Gill. Et le gamin, qui avait pris le nom de la vieille Écossaise, ignorait le nom de celui qui subvenait à son entretien.

— Continue, soupira Maigret avec résignation en tutoyant pour la première fois Dexter.

— Vous savez cela mieux que moi. J'ai tout raconté.
Il fallait bien que je gagne les cinq cents dollars, comprenez-vous? Parce que j'avais quand même encore
une certaine honnêteté.

» Little John s'est marié à son tour. En tout cas,
il a eu un enfant qu'il a fait élever en Europe.

» Mme Mac Gill est morte. Ou bien Jos s'est enfui
de chez elle. Je ne sais pas. Peut-être que vous le savez,
mais vous ne me l'avez pas dit. Seulement, cette nuit,
j'ai fait comme si vous en étiez sûr.

» Ils continuaient à me servir de grands verres de
whisky.

» J'avais tellement honte de moi, vous me croirez
si vous voulez, que je préférais aller jusqu'au bout.

» Il y avait, dans la 169e rue, un tailleur italien qui
était au courant de tout, qui avait peut-être assisté
au crime.

» Et Jos Mac Gill a fini par le rencontrer, je ne sais
pas comment, sans doute par hasard. Et ainsi il a
appris la vérité sur Little John ».

Maintenant, Maigret en était arrivé à fumer béate-
ment sa pipe, comme un homme à qui un enfant raconte
une savoureuse histoire.

— Continue.

— Mac Gill s'était lié avec des types pas recom-
mandables, des types comme ceux de cette nuit. Et
ils ont décidé ensemble de faire chanter Little
John.

» Et Little John a eu peur.

» Quand ils ont appris que son fils arrivait d'Europe,
ils ont voulu tenir le père davantage encore et ils ont
kidnappé Jean Maura à l'arrivée du bateau.

» Je n'ai pas pu leur dire comment Jean Maura était
revenu au *Saint-Régis*. Peut-être que Little John a
craché la grosse somme? Peut-être que, pas si bête,

il a découvert la cachette où l'on gardait le jeune homme?

» Je leur ai affirmé que vous saviez tout.

— Et qu'on allait les arrêter? questionna Maigret en se levant.

— Je ne me le rappelle plus. Je crois que oui. Et que vous n'ignoriez pas non plus que c'étaient eux.

— Qui eux?

— Ceux qui m'ont donné les cinq cents dollars.

— Que c'était eux qui avaient fait quoi?

— Qui avaient tué le vieil Angelino avec la voiture. Parce que Mac Gill avait appris que vous alliez tout découvrir. Voilà. On peut m'arrêter.

Maigret dut détourner la tête pour cacher son sourire tandis que le lieutenant Lewis restait sérieux comme un.pape.

— Qu'est-ce qu'ils ont répondu?

— Ils m'ont fait monter dans une auto. Je croyais que c'était pour aller m'abattre quelque part dans un quartier désert. Cela leur aurait donné l'occasion de reprendre les cinq cents dollars. Ils m'ont simplement déposé en face de City Hall et ils m'ont dit...

— Qu'est-ce qu'ils ont dit?

— *Va dormir, idiot!* Qu'est-ce que vous allez faire?

— Vous dire la même chose.

— Comment?

— Je vous dis d'aller dormir. C'est tout.

— Je suppose que je ne dois plus revenir?

— Au contraire.

— Vous avez encore besoin de moi?

— Cela pourrait arriver.

— Parce que, dans ce cas...

Et il louchait vers les cinq cents dollars, soupirait:

— Je n'ai pas gardé un *cent*. Je ne pourrais pas même prendre le *subway* pour rentrer chez moi. Aujourd'hui, je ne vous demande pas cinq dollars comme les autres jours, mais seulement un dollar. Maintenant que je suis une canaille...

*
* *

— Qu'est ce que vous en pensez, lieutenant?

Au lieu d'éclater de rire comme Maigret avait envie de le faire, le collègue d'O'Brien contemplait gravement ses notes et disait :

— Ce n'est pas Mac Gill qui a fait enlever Jean Maura.

— Parbleu!

— Vous le savez?

— J'en ai la conviction.

— Nous, nous en avons la certitude.

Et il avait l'air de marquer un point en faisant cette distinction entre une certitude américaine et une simple conviction française.

— Le jeune Maura a été emmené par un personnage qui lui a remis une lettre de son père.

— Je sais.

— Mais nous, nous savons aussi où il a conduit le jeune homme. Dans un cottage du Connecticut qui appartient à Maura, mais où il n'a pas mis les pieds depuis plusieurs années.

— C'est tout à fait plausible.

— C'est certain. Nous avons les preuves.

— Et c'est son père qui l'a fait ramener auprès de lui au *Saint-Régis*.

— Comment le savez-vous?

— Je le devine.

— Nous ne devinons pas. Le même personnage est allé deux jours plus tard rechercher le jeune Maura.

— Ce qui signifie, murmura Maigret en tirant sur sa pipe, que pendant deux jours, il y a eu des raisons pour que ce jeune homme soit en dehors de la circulation.

Le lieutenant le regarda avec un étonnement comique.

— On pourrait relever une coïncidence, poursuivait le commissaire. C'est que le jeune homme n'a reparu qu'après la mort du vieil Angelino.

— Et vous en déduisez ?

— Rien. Votre collègue O'Brien vous dira que je ne déduis jamais. Il ajoutera sans doute avec une pointe de malice que je ne pense jamais. Vous pensez, vous ?

Maigret se demanda s'il n'était pas allé trop loin, mais Lewis, après un instant de réflexion, répliqua :

— Quelquefois. Quand j'ai en main les éléments suffisants.

— A ce moment-là, ce n'est plus la peine de penser.

— Quelle est votre opinion sur le récit que nous a fait Ronald Dexter ? C'est bien Dexter, n'est-ce pas ?

— Je n'ai pas d'opinion ; cela m'a beaucoup amusé.

— Il est exact que les dates coïncident.

— J'en suis persuadé. Elles coïncident aussi avec le départ de Maura pour l'Europe.

— Que voulez-vous dire ?

— Que Jos Mac Gill est né un mois avant le retour de Little John de Bayonne. Que, d'autre part, il est né huit mois et demi après le départ de celui-ci.

— De sorte ?

— De sorte qu'il peut aussi bien être le fils de l'un que de l'autre. Nous avons le choix, comme vous voyez. C'est très pratique.

Maigret n'y pouvait rien. La scène du clown à la gueule de bois l'avait mis en bonne humeur et l'attitude de pisse-froid du lieutenant Lewis était bien faite pour le maintenir dans cet état d'esprit.

— J'ai donné ordre de rechercher tous les actes

de décès de cette époque pouvant se rapporter à Joseph Daumale et à Jessie.

Et Maigret, féroce :

— A condition qu'ils soient morts.

— Où seraient-ils ?

— Où sont les quelque trois cents locataires qui habitaient au même moment l'immeuble de la 169ᵉ rue ?

— Si Joseph Daumale était vivant...

— Eh bien ?

— Il se serait probablement occupé de son fils.

— A la condition que ce soit le sien.

— On l'aurait retrouvé dans le sillage de Little John.

— Pourquoi ? Est-ce parce que deux jeunes gens, lors de leurs débuts, ont fait ensemble un numéro de music-hall qu'ils sont liés à vie ?

— Et Jessie ?

— Remarquez que je ne prétends pas qu'elle n'est pas morte, ni que Daumale n'est pas mort. Mais l'un peut fort bien avoir cassé sa pipe l'année dernière à Paris ou à Carpentras et l'autre se trouver maintenant dans un asile de vieilles femmes. Le contraire est tout aussi possible.

— Je suppose, commissaire, que vous plaisantez ?

— A peine.

— Suivez mon raisonnement.

— Parce que vous avez raisonné ?

— Toute la nuit. Nous avons, au départ, voilà vingt-huit ans exactement, trois personnages.

— Les trois *J*...

— Comment ?

— Je dis : les trois *J*... C'est comme cela que nous les appelons.

— Qui, vous ?

— La voyante et l'ancien homme de cirque.

— A ce propos, je les ai fait surveiller comme vous l'avez demandé. Jusqu'ici, il ne s'est rien produit.

— Et il ne se produira sans doute rien, maintenant que le clown a trahi, selon son expression. Nous en étions aux trois *J*... Joachim, Joseph et Jessie. Il y a vingt-huit ans, comme vous dites, il y avait ces trois personnages-là, et un quatrième qui s'appelait, de son vivant, Angelino Giaconi.

— Exact.

Il recommençait à prendre des notes. C'était une manie.

— Et aujourd'hui...

— Aujourd'hui, se hâta d'intervenir l'Américain, nous nous trouvons à nouveau devant trois personnages.

— Mais ce ne sont plus les mêmes. Joachim d'abord, qui, avec le temps, est devenu Little John, Mac Gill et un autre jeune homme qui, lui, paraît être incontestablement le fils de Maura. Le quatrième personnage, Angelino, existait il y a deux jours encore, mais, sans doute pour simplifier le problème, on l'a supprimé.

— Pour simplifier le problème ?

— Excusez-moi... Trois personnages il y a vingthuit ans et trois personnages aujourd'hui. Autrement dit, les deux qui manquent de l'ancienne équipe ont été remplacés.

— Et Maura a l'air de vivre dans la terreur de son soi-disant secrétaire Mac Gill.

— Vous croyez ?

— Le capitaine O'Brien m'a appris que c'était votre impression aussi.

— Je crois lui avoir confié que Mac Gill se montrait plein d'assurance et qu'il lui arrivait souvent de prendre la parole à la place de son patron.

— C'est la même chose.

— Pas tout à fait.

— Je croyais, en venant vous voir ce matin, que vous me diriez en toute franchise ce que vous pensez de cette affaire. Le capitaine m'a confié...

— Il a encore parlé de mes impressions?

— Non, mais des siennes. Il m'a fait part de sa conviction que vous aviez une idée et qu'elle avait des chances d'être la bonne. J'espérais donc qu'en confrontant vos idées à vous et les miennes...

— Nous arriverions à la solution?... Eh bien! vous avez entendu mon clown attitré.

— Vous pensez tout ce qu'il a dit?

— Rien du tout.

— Vous pensez qu'il s'est trompé?

— Il a bâti un joli roman, qui est presque un roman d'amour... A cette heure-ci, Little John, Mac Gill et peut-être quelques autres doivent être en effervescence.

— J'en ai la preuve.

— Vous pouvez me la donner?

— Ce matin, Mac Gill a fait retenir une cabine de première classe sur le paquebot qui part à quatre heures pour la France. Au nom de Jean Maura.

— C'est assez naturel, vous ne trouvez pas? Ce jeune homme, qui est en plein dans ses études, quitte soudain Paris et l'université pour accourir à New-York où son papa juge qu'il n'a rien à faire. On le renvoie donc là d'où il vient.

— C'est un point de vue.

— Voyez-vous, mon cher lieutenant, je comprends parfaitement votre déception. On vous a répété, et on a eu tort, que je suis un homme intelligent qui, au cours de sa carrière, a résolu un certain nombre de problèmes criminels. Mon ami O'Brien, qui cultive volontiers l'ironie, a dû exagérer quelque peu. Or, *primo*, je ne suis pas intelligent.

C'était drôle de voir le policier vexé comme si on
se fût moqué de lui, alors que Maigret n'avait jamais
été aussi sincère.

— *Secundo*, je n'essaie jamais de me faire une idée
sur une affaire avant qu'elle soit terminée. Vous êtes
marié ?

— Mais oui.

Lewis était interloqué par cette question saugrenue.

— Il y a des années sans doute. Et je suis persuadé
que vous avez la conviction que votre femme ne vous
comprend pas toujours.

— Il arrive en effet...

— Et votre femme, de son côté, a la même conviction en ce qui vous concerne. Pourtant, vous vivez
ensemble, vous passez des soirées ensemble, vous dor-
mez dans le même lit, vous faites des enfants... Il y
a quinze jours, je n'avais jamais entendu parler de
Jean Maura ni de Little John. Il y a quatre jours,
j'ignorais jusqu'à l'existence de Jos Mac Gill et ce
n'est qu'hier, chez un vieux monsieur impotent, qu'une
vieille voyante m'a parlé d'une certaine Jessie.

» Et vous voudriez que j'aie une idée précise sur
chacun d'eux ?

» Je nage, lieutenant... Sans doute nageons-nous
tous les deux. Seulement, vous, vous luttez contre le
flot, vous prétendez aller dans une direction déter-
minée, alors que moi je me laisse aller avec le courant
en me raccrochant par-ci par-là à une branche qui
passe.

» J'attends des câbles de France. O'Brien a dû vous
en parler. J'attends aussi, comme vous, les résultats
des recherches que vos hommes ont entreprises au
sujet des actes de décès, des licences de mariage, etc.

» En attendant, je ne sais rien.

» Au fait, à quelle heure part le bateau pour la France?

— Vous voulez vous embarquer?

— Pas le moins du monde, encore que ce serait le plus sage. Il fait beau temps. C'est mon premier jour de soleil à New-York. Cela me fera une promenade d'aller assister au départ de Jean Maura et je ne serai pas fâché de serrer la main de ce garçon avec qui j'ai eu le plaisir de faire une charmante traversée.

Il se levait, cherchait son chapeau, son pardessus, tandis que le policier, déçu, refermait à regret son carnet et le glissait dans sa poche.

— Si nous allions prendre l'apéritif? proposa le commissaire.

— Ne m'en veuillez pas de refuser, mais je ne bois jamais d'alcool.

Une petite flamme dans les gros yeux de Maigret. Il faillit dire, mais il se retint à temps :

« Je l'aurais juré ».

Ils sortirent ensemble de l'hôtel.

— Tiens! mon Sicilien n'est plus à son poste. Ils doivent penser que, maintenant que Dexter a mangé le morceau, il n'est plus nécessaire de surveiller mes allées et venues.

— J'ai ma voiture, commissaire... Je vous dépose quelque part?

— Non, merci...

Il avait envie de marcher. Il gagna tranquillement Broadway, puis certaine rue où il espérait bien retrouver le *Donkey Bar*. Il commença par se tromper, mais il reconnut enfin la façade, entra dans la salle presque déserte à cette heure.

A un bout du comptoir, pourtant, le journaliste aux dents jaunies à qui Mac Gill et le détective-boxeur s'étaient adressés le premier jour était en train d'écrire un article tout en sirotant un double whisky.

Il leva la tête, reconnut Maigret, fit une grimace pas jolie et finit par saluer d'un signe de tête.

— De la bière! commanda le commissaire parce que l'air sentait déjà le printemps et que cela lui donnait soif.

Il la dégusta en homme paisible, qui a devant lui de longues heures de flânerie.

8

Au quai des Rosefèvres, un an plus tôt encore, on disait de Maigret dans ces moments-là :

— Ça y est. Le patron est en transes.

L'irrespectueux inspecteur Torrence, lui, qui n'en avait pas moins un véritable culte pour le commissaire, disait plus crûment :

— Voilà le patron dans le bain.

« En transes » ou « dans le bain », c'était en tout cas un état que les collaborateurs de Maigret voyaient venir avec soulagement. Et ils étaient arrivés à en deviner l'approche à de petits signes avant-coureurs, à prévoir avant le commissaire le moment où la crise se déclarerait.

Qu'est-ce qu'un Lewis aurait pensé de l'attitude de son collègue français pendant les heures qui suivirent? Il n'aurait pas compris, c'était fatal, et sans doute l'aurait-il regardé avec une certaine pitié. Le capitaine O'Brien lui-même, à l'ironie si fine sous de lourdes apparences, aurait-il pu suivre le commissaire jusque-là?

Cela se passait d'une façon assez curieuse, que Maigret n'avait jamais eu la curiosité d'analyser, mais qu'il avait fini par connaître à force d'en entendre parler avec de multiples détails par ses collègues de la Police judiciaire.

Pendant des jours, parfois des semaines, il pataugeait dans une affaire, il faisait ce qu'il y avait à faire, sans plus, donnait des ordres, s'informait sur les uns et sur les autres, avec l'air de s'intéresser médiocrement à l'enquête et parfois de ne pas s'y intéresser du tout.

Cela tenait à ce que, pendant ce temps-là, le problème ne se présentait encore à lui que sous une forme théorique. Tel homme a été tué dans telles et telles circonstances. Untel et Untel sont suspects.

Ces gens-là, au fond, ne l'intéressaient pas. *Ne l'intéressaient pas encore.*

Puis soudain, au moment où on s'y attendait le moins, où on pouvait le croire découragé par la complexité de sa tâche, le déclic se produisait.

Qui est-ce qui prétendait qu'à ce moment-là il devenait plus lourd ? N'était-ce pas un ancien directeur de la P. J. qui l'avait vu travailler pendant des années ? Ce n'était qu'une boutade, mais elle rendait bien la vérité. Maigret, tout à coup, paraissait plus épais, plus pesant. Il avait une façon différente de serrer sa pipe entre ses dents, de la fumer à bouffées courtes et très espacées, de regarder autour de lui d'un air presque sournois, en réalité parce qu'il était entièrement pris par son activité intérieure.

Cela signifiait, en somme, que les personnages du drame venaient, pour lui, de cesser d'être des entités, ou des pions, ou des marionnettes, pour devenir des hommes.

Et ces hommes-là, Maigret se mettait dans leur peau. Il s'acharnait à se mettre dans leur peau.

Ce qu'un de ses semblables avait pensé, avait vécu, avait souffert, n'était-il pas capable de le penser, de le revivre, de le souffrir à son tour ?

Tel individu, à un moment de sa vie, dans des circonstances déterminées, avait réagi, et il s'agissait, en somme, de faire jaillir du fond de soi-même, à force de se mettre à sa place, des réactions identiques.

Seulement, ce n'était pas conscient. Maigret ne s'en rendait pas toujours compte. Par exemple, il croyait rester Maigret et bien Maigret, tandis qu'il déjeunait tout seul à un comptoir.

Or, s'il avait regardé son visage dans la glace, il y aurait surpris certaines des expressions de Little John. Entre autres celle de l'ancien violoniste, dans son appartement du *Saint-Régis*, au moment où, venant du fond de cet appartement, de cette pièce pauvre qu'il s'était aménagée comme une sorte de refuge, il regardait pour la première fois le commissaire par la porte qu'il entrouvrait.

Était-ce de la peur ? Ou bien une sorte d'acceptation de la fatalité ?

Le même Little John marchant vers la fenêtre, dans les moments difficiles, écartant le rideau d'une main nerveuse et regardant dehors, tandis que Mac Gill prenait automatiquement la direction des opérations.

Il ne suffisait pas de décider :

« Little John est ceci ou cela... »

Il fallait le sentir. Il fallait devenir Little John. Et voilà pourquoi, tandis qu'il marchait dans les rues, puis qu'il hélait un taxi pour se faire conduire aux docks, le monde extérieur n'existait pas.

Il y avait le Little John de jadis, celui qui était arrivé de France à bord de l'*Aquitaine* avec son violon sous le bras, en compagnie de Joseph le clarinettiste.

... Le Little John qui, au cours de sa pitoyable tournée dans les États du Sud, partageait son dîner avec une fille maigre et maladive, avec une Jessie qu'on nourrissait en prélevant une partie de deux repas.

Il prit à peine garde aux deux hommes de la police qu'il reconnut sur le quai d'embarquement. Il sourit vaguement. C'était évidemment le lieutenant Lewis qui les avait envoyés à tout hasard, et Lewis faisait son métier correctement ; on ne pouvait pas lui en vouloir.

Un quart d'heure seulement avant le départ du navire, une longue limousine stoppa en face des bâtiments de la douane et Mac Gill sauta à terre le premier, puis Jean Maura, vêtu d'un complet de tweed clair qu'il avait dû acheter à New-York, Little John enfin, qui paraissait avoir adopté une fois pour toutes le bleu marine et le noir pour ses vêtements.

Maigret ne se cachait pas. Les trois hommes devaient passer près de lui. Leurs réactions furent différentes. Mac Gill, qui marchait le premier et qui portait le léger sac de voyage de Jean, fronça les sourcils, puis, peut-être par forfanterie, esquissa une moue quelque peu méprisante.

Jean Maura, lui, hésita, regarda son père, fit quelques pas vers le commissaire à qui il serra la main.

— Vous ne rentrez pas en France... Je vous demande encore pardon... Vous auriez dû prendre le bateau avec moi... Il n'y a rien, vous savez... Je me suis conduit comme un sot.

— Mais oui.

— Merci, commissaire.

Quant à Little John, il continuait son chemin et allait attendre un peu plus loin, puis il saluait Maigret, simplement, sans ostentation.

Le commissaire ne l'avait jamais vu que dans son

appartement. Il s'étonnait un peu de le trouver, dehors, encore plus petit qu'il n'avait cru. Et aussi il le trouvait plus vieux, plus marqué par la vie. Était-ce récent ? Il y avait comme un voile sur cet homme dont on ne sentait pas moins la prodigieuse énergie.

Tout cela ne comptait pas. Ce n'étaient même pas des pensées. Les derniers passagers montaient à bord. Les parents et les amis restaient rangés sur le quai, la tête en l'air. Quelques Anglais, selon la coutume de chez eux, envoyaient des serpentins vers les bastingages et ceux qui partaient en tenaient gravement un bout.

Le commissaire aperçut Jean Maura sur la passerelle des premières. Il le voyait de bas en haut et un instant il crut voir, non le fils, mais le père, il crut assister, non à l'embarquement d'aujourd'hui, mais à celui de jadis, quand Joachim Maura était reparti pour la France, où il devait rester près de dix mois.

Joachim Maura, lui, n'avait pas voyagé en première classe, mais en troisième. Était-il venu seul jusqu'aux docks ? N'y avait-il pas, pour lui aussi, deux personnes sur le quai ?

Ces personnes-là, Maigret les cherchait machinalement, il évoquait le clarinettiste et Jessie qui devaient attendre comme lui, le nez en l'air, de voir la muraille mouvante du navire se détacher du quai.

Puis... Puis ils s'en allaient tous les deux... Est-ce que Joseph prenait le bras de Jessie ? Est-ce que c'était Jessie qui s'accrochait machinalement au bras de Joseph ?... Est-ce qu'elle pleurait ? Est-ce qu'il lui disait : « Il reviendra bientôt » ?

En tout cas, ils n'étaient plus qu'eux deux dans New-York, tandis que Joachim, debout sur le pont, regardait l'Amérique se rapetisser pour sombrer enfin dans la brume du soir.

Cette fois encore deux personnes qui restaient, Little John et Mac Gill, s'en allaient côte à côte, marchant d'un pas égal vers l'auto qui les attendait. Mac Gill ouvrait la portière et s'effaçait.

Il ne fallait pas vouloir aller trop vite, comme le lieutenant Lewis. Il ne fallait pas courir après les vérités qu'on voulait découvrir, mais se laisser imprégner par la vérité pure et simple.

Et voilà pourquoi Maigret se dirigeait, les mains dans les poches, vers un quartier qu'il ne connaissait pas. Peu importait. En pensée, il suivait Jessie et Joseph dans le *subway*. Est-ce que le *subway* existait de leurs temps? Probablement que oui. Ils avaient dû rentrer tout de suite dans la maison de la 169ᵉ rue. Et là, s'étaient-il séparés sur le palier? Est-ce que Joseph n'avait pas consolé sa compagne?

Pourquoi un souvenir tout récent frappait-il maintenant le commissaire? Au moment où l'incident se produisait, il n'y avait pas pris garde.

A midi, il avait longuement siroté sa bière au *Donkey Bar*. Il avait commandé un second verre, car elle était bonne. A l'instant où il s'en allait, le journaliste aux dents gâtées, Parson, avait levé la tête et lui avait lancé:

— Bien le bonjour, monsieur Maigret!

Or il lui avait dit cela en français, avec un fort accent en prononçant *Mégrette*. Il avait une voix désagréable, trop aiguë et comme coupante, avec des intonations canailles ou plutôt méchantes.

C'était un aigri, un révolté, à coup sûr. Maigret l'avait regardé, un peu surpris. Il avait grommelé un vague bonjour et il était sorti sans y penser davantage.

Il se souvenait tout à coup que, quand il était allé une première fois au *Donkey Bar* en compagnie de Mac Gill et de son détective au *chewing-gum*, son nom n'avait pas été prononcé. Parson n'avait pas dit non plus qu'il connaissait le français.

Cela n'avait probablement aucune importance. Maigret ne s'y attardait pas. Et pourtant ce détail s'intégrait de lui-même à la masse de ses préoccupations inconscientes.

Quand il se trouva à Times Square, il regarda machinalement le *Times Square Building* qui lui bouchait l'horizon. Cela lui rappela que c'était dans ce gratte-ciel que Little John avait ses bureaux.

Il entra. Il ne venait rien chercher de particulier. Mais il ne connaissait du Little John d'aujourd'hui que son cadre intime du *Saint-Régis*. Pourquoi ne pas voir l'autre ?

Il chercha sur le tableau la mention *Automatic Record C°* et un ascenseur rapide le conduisit au quarante-deuxième étage.

C'était banal. Il n'y avait rien à voir. Tous ces phonos automatiques, ces boîtes à rêves que l'on trouvait dans la plupart des bars et des restaurants, c'était ici, en somme, qu'ils venaient aboutir. Ici, en tout cas, que les centaines de milliers de pièces de cinq *cents* dégorgées par les machines se transformaient en compte en banque, en actions et en comptabilité sur les grands livres.

Une mention, sur une porte vitrée :

General Manager : John Maura.

D'autres portes vitrées, numérotées, avec les noms de tout un état-major, et enfin une immense pièce aux bureaux métalliques, aux lampes bleuâtres, où travaillaient une bonne centaine d'employés et d'employées.

On lui demanda ce qu'il désirait et il répondit tran-

quillement, en faisant demi-tour après avoir secoué
sa pipe contre son talon :

— Rien.

Se rendre compte, tout simplement. Est-ce que
le lieutenant Lewis ne comprendrait pas cela ?

Et il marchait à nouveau dans la rue, s'arrêtait
devant un bar, hésitait, haussait les épaules. Pourquoi pas ? Cela ne lui faisait pas de tort, dans ces moments-là, et il ne pleurait pas comme Ronald Dexter.
Tout seul à un coin du comptoir, il vida deux verres
d'alcool, coup sur coup, paya et sortit comme il était
entré.

Joseph et Jessie étaient seuls, désormais, seuls pour
dix mois dans la maison de la 169e rue, en face de la
boutique du tailleur.

Qu'est-ce qu'il lui prit de prononcer soudain, à voix
haute, ce qui fit se retourner un passant :

— Non...

Il pensait au vieil Angelino, à la mort ignoble du
vieil Angelino et il disait non parce qu'il était sûr,
sans savoir exactement pourquoi, que cela ne s'était
pas passé comme Lewis l'imaginait.

Il y avait quelque chose qui ne collait pas. Il revoyait
Little John et Mac Gill se dirigeant vers la limousine
noire qui les attendait et il répétait en lui-même :

— Non...

C'était fatalement plus simple. Les événements
peuvent se payer le luxe d'être compliqués ou de le
paraître. Les hommes, eux, sont toujours plus simples
qu'on l'imagine.

Même un Little John... Même un Mac Gill...

Seulement, pour comprendre cette simplicité-là,
il fallait aller tout au fond et non se contenter d'explo-
rer la surface.

— Taxi...

Il oubliait qu'il était à New-York et il se mettait à parler français au chauffeur ahuri. Il s'en excusait, donnait en anglais l'adresse de la voyante.

Il avait besoin de lui poser une question, une seule. Elle habitait, elle aussi, dans Greenwich Village et le commissaire fut assez surpris de trouver une maison de belle apparence, une maison bourgeoise de quatre étages, avec un escalier propre couvert d'un tapis, des paillassons devant les portes.

Madame Lucile
Voyante extra-lucide
Sur rendez-vous seulement.

Il sonna et la sonnerie, de l'autre côté de la porte, rendit un son étouffé, comme chez les vieilles gens. Puis il y eut des pas feutrés, une hésitation, et enfin un bruit très léger, celui d'un verrou que l'on tire avec précaution.

La porte ne fit que s'entrouvrir à peine et, par la fente, un œil le regardait. Maigret souriait malgré lui, disait :

— C'est moi!

— Oh! je vous demande pardon. Je ne vous avais pas reconnu. Comme je n'avais pas de rendez-vous à cette heure-ci, je me demandais qui pouvait bien venir... Entrez... Excusez-moi si je vous ai ouvert moi-même, mais la bonne est en course.

Il n'y avait sûrement pas de bonne, mais cela était sans importance.

Il faisait presque noir et aucune lampe n'était allumée. Un fauteuil, en face d'un poêle anglais, laissait voir la flamme du charbon.

L'atmosphère était douce et chaude, un peu fade. Mme Lucile allait d'un commutateur à l'autre et des lampes s'allumaient, invariablement voilées d'abat-jour bleus ou roses.

— Asseyez-vous... Est-ce que vous avez des nouvelles de votre frère?

Maigret avait presque oublié cette histoire de frère que le clown avait racontée pour attendrir Germain et sa vieille amie. Il regardait autour de lui, étonné, car, au lieu du bric-à-brac qu'il avait imaginé, il trouvait un petit salon Louis XVI qui lui rappelait tant de petits salons pareils, à Passy ou à Auteuil.

Seul, le maquillage excessif, maladroit de la vieille femme donnait à la pièce quelque chose d'équivoque. Sa face, sous une croûte de crème et de poudre, était blafarde comme une lune, avec du rouge saignant pour les lèvres, de longs cils bleuâtres de poupée.

— J'ai bien pensé à vous et à mes anciens camarades *J and J.*

— C'est à leur sujet que je voudrais vous poser une question.

— Vous savez... Je suis presque sûre... Vous vous souvenez que vous m'avez demandé lequel des deux était amoureux... Je crois, maintenant que j'y repense, qu'ils l'étaient tous les deux.

De cela, Maigret se moquait.

— Ce que je voudrais savoir, madame, c'est... Attendez... J'aimerais que vous compreniez ma pensée... Il est rare que deux jeunes gens du même âge, sortis à peu près du même milieu, possèdent la même vitalité... la même vigueur de caractère, si vous préférez... Il y en a toujours un qui a le pas sur l'autre... Mettons encore qu'il y a toujours un chef... Attendez...

» Dans ce cas-là, il existe pour le second différentes attitudes possibles, qui dépendent des caractères.

» Certains acceptent d'être dominés par leur ami,

cherchent parfois cette domination... D'autres, au contraire, se révoltent à tout propos.

» Vous voyez que ma question est assez délicate. Ne vous pressez pas de répondre... Vous avez vécu près d'un an avec eux... Lequel des deux vous a laissé le souvenir le plus vivace ?

— Le violoniste, répondit-elle sans hésiter.

— Donc, Joachim... Le blond aux cheveux longs, au visage très maigre ?

— Oui... Et pourtant, il n'était pas toujours agréable.

— Que voulez-vous dire ?

— Je ne pourrais pas préciser... C'est une impression... Tenez !... J and J ne constituaient que le dernier des numéros du programme, n'est-ce pas ?... Robson et moi étions les vedettes... Il y a, dans ces cas-là, une certaine hiérarchie... Pour les valises, par exemple... Eh bien ! jamais le violoniste ne m'aurait proposé de me porter ma valise.

— Tandis que l'autre ?

— Il l'a fait plusieurs fois... Il était plus poli, mieux élevé.

— Joseph ?

— Oui... Celui à la clarinette. Et pourtant... Mon Dieu ! que c'est difficile à expliquer ! Joachim n'était pas d'humeur régulière, voilà. Un jour, il se montrait séduisant, d'une affabilité délicieuse, puis, le lendemain, il ne vous adressait pas la parole. Je crois qu'il était trop orgueilleux, qu'il souffrait de sa situation. Joseph, au contraire, l'acceptait en souriant. Et voilà encore que je dis quelque chose de faux. Car il ne souriait pas souvent.

— C'était un triste ?

— Non plus ! Il faisait les choses correctement, convenablement, de son mieux, sans plus. On lui aurait demandé d'aider les machinistes ou de prendre place dans le trou du souffleur qu'il aurait accepté, tandis que l'autre se serait dressé sur ses ergots. Voilà ce que je veux dire. N'empêche que je préférais Joachim, même quand il devenait cassant.

— Je vous remercie.

— Vous ne prendrez pas une tasse de thé? Vous ne voulez pas que j'essaie de vous aider?

Elle venait de prononcer ces mots avec une étrange pudeur et Maigret ne comprit pas tout de suite.

— Je pourrais essayer de voir.

Ce n'est qu'alors qu'il se souvint qu'il était chez une voyante extra-lucide et il faillit, par bonté d'âme, pour ne pas la décevoir, accepter une consultation.

Mais non! Il n'avait pas le courage d'assister à ses simagrées, d'entendre à nouveau sa voix mourante et les questions qu'elle posait à son Robson défunt.

— Je reviendrai, madame... Ne m'en veuillez pas si je n'ai pas le temps aujourd'hui.

— Je vous comprends.

— Mais non...

Allons! Il s'enferrait. Il était navré de la laisser sur une mauvaise impression, mais il n'y avait rien d'autre à faire.

— J'espère que vous retrouverez votre frère.

Tiens! Il y avait en bas, devant l'immeuble, un homme qu'il n'avait pas remarqué en entrant et qui le dévisageait. Un des détectives de Lewis, sans doute. Est-ce que sa présence était encore bien utile?

Il se fit conduire à nouveau dans Broadway. C'était déjà devenu son port d'attache et il commençait à s'y retrouver. Pourquoi pénétra-t-il sans hésiter au *Donkey Bar*.

Il devait d'abord téléphoner. Mais, surtout, il avait envie, sans raison bien précise, de revoir le journaliste à la voix grinçante et il savait qu'à cette heure il serait ivre.

— Bonjour, monsieur Mégrette.

Parson n'était pas seul. Il était entouré de trois ou quatre types qu'apparemment il faisait rire par ses saillies depuis un bon moment.

— Vous boirez bien un *scotch* avec nous? poursuivait-il en français. Il est vrai qu'en France vous n'aimez pas le whisky. Un cognac, monsieur le commissaire de la Police judiciaire en retraite?

Il voulait être comique. Il se savait ou se croyait le point de mire de tout le bar où peu de gens, en réalité, s'occupaient de lui.

— C'est un beau pays, la France, n'est-ce pas?

Maigret hésita, remit son coup de téléphone à plus tard et s'accouda au bar à côté de Parson.

— Vous la connaissez?

— J'y ai vécu deux ans.

— A Paris?

— Le « gai Paris », oui... Et à Lille, à Marseille, à Nice... La Côte d'Azur, n'est-ce pas?

Il lançait tout cela méchamment, comme si les moindres paroles eussent eu un sens connu de lui seul.

Si Dexter était un ivrogne triste, Parson, lui, était le type de l'ivrogne méchant, agressif.

Il se savait maigre et laid, il se savait sale, il se savait méprisé ou détesté et il en voulait à l'humanité tout entière, laquelle, pour le moment, prenait la forme et le visage de ce Maigret placide qui le regardait avec de gros yeux calmes, comme on regarde une mouche affolée par l'orage.

— Je parie que quand vous y retournerez, dans votre belle France, vous direz tout le mal possible de l'Amérique et des Américains... Tous les Français sont comme ça... Et vous raconterez que New-York

est plein de gangsters... Ha! ha!... Seulement, vous
oublierez de dire que la plupart sont venus d'Europe...

Et, éclatant d'un vilain rire, il pointa son index
vers la poitrine de Maigret.

— Vous omettrez aussi d'ajouter qu'il y a autant
de gangsters à Paris qu'ici... Seulement, les vôtres
sont des gangsters bourgeois... Ils ont une femme et
des enfants... Et, quelquefois, ils sont décorés... Ha!
ha!... Une tournée, Bob!... Un brandy pour M. Mégrette qui n'aime pas le whisky.

» Mais voilà!... Est-ce que vous y retournerez, en
Europe? »

Il regardait ses compagnons d'un air malin, tout
fier d'avoir lancé cette phrase en plein visage du commissaire.

— Hein? est-ce que vous êtes sûr d'y retourner?
Supposons que les gangsters d'ici ne le veuillent
pas. Hein? Est-ce que vous croyez que c'est le bon
M. O'Brien ou l'honorable M. Lewis qui y pourront
quelque chose?

— Vous n'étiez pas au bateau pour le départ de
Jean Maura? questionna le commissaire d'un air
détaché.

— Il y avait bien assez de monde sans moi, n'est-ce
pas? A votre santé, monsieur Mégrette... A la santé
de la police parisienne.

Et ces derniers mots lui parurent si drôles qu'il
se tordit littéralement de rire.

— En tout cas, si vous reprenez le bateau, je vous
promets d'y aller et de vous demander une interview...
*Le célèbre commissaire Maigret déclare à notre brillant
collaborateur Parson qu'il est très satisfait de ses con-
tacts avec la Police fédérale et...*

Deux des hommes qui faisaient partie du groupe
s'en allèrent sans mot dire et, chose étrange, Parson,

qui les vit partir, ne leur adressa pas la parole, n'eut pas l'air étonné.

A ce moment-là, Maigret regretta de n'avoir personne à sa disposition pour les suivre.

— Encore un verre, monsieur Mégrette... Voyez-vous, il faut en profiter tant qu'on est là pour les boire... Regardez bien ce comptoir... Des milliers et des milliers de gens y ont frotté leurs coudes comme nous le faisons en ce moment... Il y en a qui ont refusé un dernier whisky en disant :

» — Demain...

» Et, le lendemain, ils n'étaient plus là pour le boire.

» Résultat : un bon *scotch* de perdu... Ha! ha! Quand j'étais en France, j'avais toujours une étiquette avec l'adresse de mon hôtel épinglée dans mon pardessus... Comme cela, les gens savaient où me conduire... Vous n'avez pas d'étiquette, vous?

» C'est bien pratique, même pour la morgue, parce que cela abrège les formalités... Où allez-vous?... Vous refusez le dernier *drink* ? »

Maigret en avait assez, tout simplement. Il s'en allait après avoir regardé dans les yeux le journaliste criaillant.

— Au revoir, laissa-t-il tomber.

— Ou adieu! riposta l'autre.

Au lieu de téléphoner de la cabine du *Donkey Bar*, il préféra rentrer à pied à son hôtel. Il y avait un télégramme dans son casier, mais il ne l'ouvrit pas avant d'être entré sans sa chambre. Et, même là, par une sorte de coquetterie, il posa l'enveloppe sur la table et composa un numéro de téléphone.

— Allô... Le lieutenant Lewis?... Ici, Maigret... Avez-vous retrouvé la trace d'une licence de mariage?... Oui... Quelle date?... Un instant... Au nom de John

Maura et de Jessie Dewey?... Oui... Comment?...
Née à New-York... Bien... La date?... Je ne comprends pas bien...

D'abord, il comprenait beaucoup moins bien l'anglais au téléphone que dans une conversation ordinaire. Ensuite, le lieutenant Lewis lui expliquait des
choses assez compliquées.

— Bon... Vous dites que la licence a été prise à
City Hall... Pardon... Qu'est-ce que c'est, City Hall...
La mairie de New-York?... Bon. Quatre jours avant
l'embarquement de Little John pour l'Europe... Et
alors?... Comment? Cela ne prouve pas qu'ils soient
mariés?...

C'est cela qu'il ne comprenait pas bien.

— Oui... On peut avoir une licence de mariage et
ne pas s'en servir?... Dans ce cas-là, comment savoir
s'ils sont mariés?... Hein?... Il n'y a que Little John
qui pourrait nous le dire? .. Ou les témoins, ou la personne qui serait maintenant en possession de cette
licence?... C'est plus facile chez nous évidemment...
Oui... Je crois que cela n'a pas d'importance... Je dis :
je crois que cela n'a pas d'importance... Qu'ils soient
mariés ou non... Comment?... Je vous affirme que je
n'ai aucun renseignement nouveau... Je me suis pro-
mené tout simplement... Il m'a dit au revoir, genti-
ment... Il a ajouté qu'il regrettait que je ne fasse pas
le voyage de retour avec lui...

» Je suppose que, maintenant que vous avez le
nom de famille de Jessie, vous allez pouvoir... Oui...
Vos hommes sont déjà à l'œuvre?... Je vous entends
mal... Pas retrouvé trace de son décès?... Cela ne veut
rien dire, n'est-ce pas?... Les gens ne meurent pas
toujours dans leur lit...

» Mais non, mon cher lieutenant, je ne me contre-
dis pas... Je vous ai dit ce matin que les personnes

qu'on ne retrouve pas ne sont pas obligatoirement
passées de vie à trépas... Je n'ai jamais prétendu que
Jessie était vivante...

» Un instant... Voulez-vous rester à l'appareil?
Je viens de recevoir un câble de France en réponse
à ma demande de renseignements... Je ne l'ai pas
ouvert. Mais non! Je voulais avant tout vous avoir au
bout du fil. »

Il posa le récepteur, fit sauter l'enveloppe du câble,
qui était très long et qui disait en substance :

*Joachim-Jean-Marie Maura : né à Bayonne le...
Fils du plus important quincaillier de la ville. A perdu
sa mère de bonne heure. Études secondaires au lycée.
Études musicales. Conservatoire de Bordeaux. Premier
prix de violon à dix-neuf ans. Départ pour Paris
quelques semaines plus tard.*

*... N'est revenu à Bayonne que quatre ans après, pour
la mort de son père dont il était le seul héritier et dont
les affaires étaient assez embrouillées. Il a dû en tirer
deux ou trois cent mille francs.*

*... Des cousins qui vivent encore à Bayonne et dans
les environs prétendent qu'il a fait fortune en Amérique,
mais il n'a jamais répondu à leurs lettres...*

— Vous êtes toujours là, lieutenant? Excusez-
moi d'abuser de votre temps... En ce qui concerne
Maura, rien d'important à signaler... Vous permettez
que je continue?...

*Joseph-Ernest-Dominique Daumale, né à Bayonne
le... Fils d'un receveur des postes et d'une institutrice.
Sa mère est restée veuve alors qu'il avait quinze ans.
Études au lycée, puis au conservatoire de Bordeaux.
Départ pour Paris, où il a dû retrouver Maura. Séjour*

assez long en Amérique. Actuellement chef d'orchestre
dans les villes d'eaux. A passé la dernière saison à La
Bourboule, où il s'est fait construire une villa et où il
doit se trouver en ce moment. Marié à Anne-Marie
Penette, des Sables-d'Olonne, dont il a trois enfants...

— Allô... Vous êtes là, lieutenant?... Je vous
annonce que j'ai retrouvé un de vos morts... Oui,
je sais, ce ne sont pas les vôtres. Il s'agit de Joseph.
Oui, la clarinette. Eh bien! Joseph Daumale est en
France, marié, père de famille, propriétaire d'une villa
et chef d'orchestre... Vous continuez l'enquête?...
Comment?... Mais non, je vous assure que je ne plai-
sante pas... Je sais, oui... Évidemment il y a le vieil
Angelino. Vous tenez vraiment à...

Lewis s'était mis à parler avec tant d'animation
à l'autre bout du fil que Maigret n'avait plus le courage de faire l'effort nécessaire pour comprendre son
anglais. Il se contentait de grommeler avec indiffé-
rence :

— Oui... Oui... Comme vous voudrez... Bonsoir,
lieutenant... Ce que je vais faire? Cela dépend de
l'heure qu'il est en France... Vous dites? Minuit?
C'est un peu tard. En téléphonant d'ici à une heure
du matin, il sera donc sept heures là-bas. L'heure à
laquelle les gens doivent se lever quand ils possèdent
une villa à La Bourboule. L'heure, en tout cas, à laquelle on est à peu près sûr de les trouver chez eux.

» En attendant, j'irai au cinéma, tout bonnement.
On doit bien donner un film comique quelque part
à Broadway. Je vous avoue que je n'aime que les films
comiques.

» Bonsoir, lieutenant. Mes amitiés à O'Brien. »

Et il alla se laver les mains, se rafraîchir le visage,
se brosser les dents. Il mit ses pieds l'un après l'autre

sur le fauteuil pour enlever la poussière de ses chaussures avec un mouchoir sale, ce qui lui aurait valu une scène de Mme Maigret.

Après quoi il descendit, guilleret, la pipe aux dents, et se choisit avec soin un bon petit restaurant.

C'était presque une partie fine à lui tout seul. Il commanda les plats qu'il aimait, un vieux bourgogne et un armagnac de derrière les fagots, hésita entre un cigare et sa pipe, opta enfin pour sa pipe et se retrouva dans les lumières mouvantes de Broadway.

Personne ne le connaissait, heureusement, car son prestige aurait sans doute baissé aux yeux des Américains. Le dos rond, les mains dans les poches, il avait l'air d'un bon bourgeois un peu badaud qui s'arrête devant les étalages, se donne parfois le plaisir de suivre des yeux une jolie femme et hésite devant les affiches des cinémas.

Quelque part, on projetait un « Laurel et Hardy » et Maigret, satisfait, passa au guichet pour donner sa monnaie, suivit l'ouvreuse dans l'obscurité du théâtre.

Un quart d'heure plus tard, il riait aux éclats, de si bon cœur et si bruyamment que ses voisins se poussaient du coude.

Une petite déception, pourtant. L'ouvreuse vint le prier poliment d'éteindre sa pipe, qu'il fourra à regret dans sa poche.

9

Une fois sorti du cinéma, vers onze heures et demie, il était calme, un peu lourd, sans nervosité, sans raideur, et cela lui rappela tellement d'autres enquêtes où, à un moment précis, il avait eu la même impression de force tranquille, avec tout juste une petite inquiétude au fond de la gorge — le trac, en somme — que pendant quelques instants il oublia qu'il était dans Broadway et non boulevard des Italiens et qu'il se demanda quelle rue prendre pour se rendre au quai des Orfèvres.

Il commença par boire un verre de bière à un comptoir, non parce qu'il avait soif, mais par une sorte de superstition, parce qu'il avait toujours bu de la bière au moment de commencer un interrogatoire difficile, voire pendant les interrogatoires.

Il se souvenait des demis que le garçon de la *Brasserie Dauphine*, Joseph, lui montait dans son bureau du Quai, pour lui et souvent aussi pour le pauvre type qui, tout pâle en face de lui, attendait ses questions avec la quasi-certitude de sortir du bureau menottes aux poignets.

Pourquoi, ce soir-là, pensait-il au plus long, au plus dur de tous ces interrogatoires, devenu presque classique dans les annales de la Police judiciaire, celui de Mestorino, qui n'avait pas duré moins de vingt-six heures ?

A la fin, le bureau était plein de fumée de pipe, l'atmosphère irrespirable, il y avait partout des cendres, des verres vides, des déchets de sandwiches et les deux hommes avaient retiré leur cravate, leur veste ; les visages étaient si également burinés qu'un homme non averti aurait eu de la peine à dire lequel des deux était l'assassin.

Il pénétra dans une cabine téléphonique, un peu avant minuit, composa le numéro du *Saint-Régis* et demanda l'appartement de Little John.

Ce fut la voix de Mac Gill qu'il reconnut au bout du fil.

— Allô... Ici Maigret... Je voudrais parler à M. Maura.

Est-ce qu'il y avait dans sa voix un accent qui faisait comprendre que ce n'était plus le moment de jouer au plus fin ? Le secrétaire répondait simplement, sans détour, avec une sincérité évidente, que Little John était à une soirée, au *Waldorf*, et qu'il ne rentrerait vraisemblablement pas avant deux heures du matin.

— Voulez-vous lui téléphoner ou, ce qui vaudrait mieux, le rejoindre ? répliqua Maigret.

— Je ne suis pas seul ici. J'ai une amie dans l'appartement et...

— Renvoyez-la donc et faites ce que je vous dis. Il est absolument nécessaire, vous m'entendez, il est indispensable, si vous préférez, que Little John et vous soyez dans ma chambre du *Berwick* à une heure moins dix au plus tard. Au plus tard, j'insiste. Non, il n'est pas possible de fixer le rendez-vous ailleurs. Si Little John hésitait, dites-lui que je veux le faire assister à une conversation avec quelqu'un qu'il a connu jadis. Non, je regrette, je ne puis rien ajouter à présent. *Une heure moins dix.*

Il avait demandé la communication avec La Bourboule pour une heure et il lui restait du temps devant lui. De son même pas tranquille, la pipe aux dents, il se dirigea vers le *Donkey Bar* où il y avait beaucoup de mode au comptoir, mais où, à son grand désappointement, il n'aperçut pas Parson.

Il but néanmoins un nouveau verre de bière et c'est alors qu'il s'aperçut qu'il existait une sorte de petit salon en retrait au fond de la salle. Il se dirigea de ce côté. Un couple d'amoureux dans un coin. Dans l'autre, sur la banquette de cuir noir, le journaliste était à moitié couché, les jambes écartées, l'œil vide, un verre renversé devant lui.

Il reconnut pourtant le commissaire, mais ne se donna pas la peine de bouger.

— Vous êtes encore capable de m'entendre, Parson? grommela celui-ci en se campant devant lui avec peut-être autant de pitié que de mépris.

L'autre bafouilla en remuant à peine :

— *How do you do ?*

— Cet après-midi, vous avez parlé de prendre une interview sensationnelle de moi, n'est-ce pas? Eh bien! si vous avez le courage de me suivre, je crois que vous aurez la matière du plus beau papier de votre carrière.

— Où voulez-vous me conduire?

Il parlait difficilement. Les syllabes n'arrivaient pas à se former dans sa bouche pâteuse ; cependant on sentait qu'au fond de son ivresse il gardait une certaine lucidité, sinon sa lucidité entière. Il y avait de la méfiance dans ses yeux, peut-être de la peur. Mais son orgueil était plus fort que sa peur.

— Troisième degré? questionna-t-il, la lippe dédaigneuse, en faisant allusion aux durs interrogatoires de la police américaine.

— Je ne vous interrogerai même pas. Ce n'est plus nécessaire.

Parson essaya de se lever et, avant d'y parvenir, retomba deux fois sur la banquette.

— Un instant... intervint Maigret. Est-ce qu'il y a dans le bar, en ce moment, de vos amis? Je parle de ceux auxquels vous pensez. C'est pour vous que je demande cela. S'il y en a, il vaudrait peut-être mieux pour vous que je sorte le premier et que je vous attende dans un taxi à cent mètres d'ici, sur la gauche.

Le journaliste essayait de comprendre, n'y parvenait pas ; ce qui le dominait, c'était sa volonté de ne pas avoir l'air de se dégonfler. Il jeta un coup d'œil dans la salle, l'épaule contre le chambranle afin de ne pas tomber.

— Allez... Je vous suis.

Et Maigret n'essaya pas de savoir lequel des consommateurs faisait partie de la bande. Cela ne le regardait pas. C'était l'affaire du lieutenant Lewis.

Dehors, il héla un taxi, le fit ranger au bord du trottoir à l'endroit convenu, prit place dans le fond. Cinq minutes plus tard, un Parson qui titubait à peine, mais qui était obligé de regarder fixement devant lui pour rester droit, ouvrait la portière.

Il ironisa encore :

— Promenade à la campagne?

Allusion, cette fois, à la petite promenade en auto que certains tueurs font accomplir à leur victime afin de s'en débarrasser dans un endroit désert.

— Au *Berwick*, commanda Maigret au chauffeur.

C'était à deux pas. Le commissaire soutint son
compagnon par le bras jusqu'à l'ascenseur et il y
avait toujours dans les yeux fatigués du journaliste
le même mélange de panique et d'orgueil.

— Le lieutenant Lewis est-il là-haut ?

— Ni lui ni personne de la police.

Il alluma toutes les lampes dans la chambre. Puis,
après avoir assis Parson dans un coin, il demanda le
room service au téléphone, commanda une bouteille
de whisky, des verres, des sodas et enfin quatre bouteilles de bière.

Sur le point de raccrocher, il se ravisa :

— Vous ajouterez quelques sandwiches au jambon.

Non parce qu'il avait faim, mais parce que c'était
son habitude au Quai des Orfèvres et que c'était devenu
comme un rite.

Parson était à nouveau affalé, comme au *Donkey
Bar*, et de temps en temps il fermait les yeux, som-
brait pour un moment dans un sommeil dont le moindre
bruit le tirait en sursaut.

Minuit et demi. Une heure moins le quart. Les bouteilles, les verres et le plateau de sandwiches étaient
rangés sur la cheminée.

— Je peux boire ?

— Mais oui. Ne bougez pas. Je vais vous servir.

Qu'il fût un peu plus ou un peu moins ivre, cela
n'avait aucune importance, au point où on en était.
Maigret lui versa du whisky et du soda que l'autre
reçut de sa main avec un étonnement qu'il ne parvint
pas à cacher.

— Vous êtes un drôle de type. Du diable si je
devine ce que vous voulez faire de moi.

— Rien du tout.

La sonnerie du téléphone retentissait. C'étaient
Little John et Mac Gill qui étaient en bas.

— Priez ces messieurs de monter.

Et il alla les attendre à la porte. Il les vit arriver au fond du couloir. Little John en habit, plus sec, plus nerveux que jamais, son secrétaire en smoking, un vague sourire aux lèvres.

— Entrez, je vous en prie. Excusez-moi de vous avoir dérangés, mais je pense que c'était indispensable.

Mac Gill, le premier, aperçut le journaliste affalé dans son fauteuil et son haut-le-corps n'échappa pas au commissaire.

— Ne faites pas attention à Parson, dit-il. J'ai tenu à ce qu'il soit présent pour certaines raisons que vous comprendrez tout à l'heure. Asseyez-vous, messieurs. Je vous conseille de retirer vos manteaux, car ce sera sans doute assez long.

— Puis-je vous demander, commissaire...

— Non, monsieur Maura. Pas encore.

Et il émanait de lui une telle impression de force tranquille que les deux hommes ne protestaient pas. Maigret s'était assis devant la table sur laquelle il avait posé l'appareil téléphonique et sa montre.

— Je vous demande encore quelques minutes de patience. Vous pouvez fumer, bien entendu. Je m'excuse de ne pas avoir de cigares à vous offrir.

Il n'était pas ironique et, à mesure que l'heure approchait, le trac lui serrait davantage la gorge et il fumait à bouffées plus rapides.

La chambre, en dépit des lampes allumées, était assez sombre, comme dans tous les hôtels de troisième ordre. On entendait, derrière la cloison, un couple qui se couchait.

Enfin la sonnerie retentit.

— Allô... Oui... Maigret... Allô, oui, j'ai demandé La Bourboule... Comment ?... Je ne quitte pas l'appareil.

Et, tourné vers Maura, l'écouteur à l'oreille!

— Je regrette que vos appareils américains ne soient pas à double écouteur comme ceux de chez nous, car j'aurais aimé que vous puissiez entendre toute la conversation. Je vous promets de vous répéter textuellement les phrases intéressantes. Allô! Oui... Comment?... On ne répond pas?... Insistez, mademoiselle. Peut-être tout le monde dort-il encore dans la villa?

Il était ému, sans raison, d'entendre la demoiselle des téléphones de La Bourboule qui était de son côté fort troublée de recevoir un appel de New-York.

Il était sept heures du matin, là-bas. Est-ce qu'il y avait du soleil? Maigret se souvenait du bureau de poste, en face de l'établissement thermal, au bord du torrent.

— Allô! Qui est à l'appareil?... Allô, madame!... Excusez-moi de vous avoir éveillée... Vous étiez levée?... Voulez-vous avoir l'obligeance d'appeler votre mari à l'appareil?... Je regrette, mais je vous téléphone de New-York et il m'est difficile de rappeler dans une demi-heure... Éveillez-le... Oui.

Il évitait, comme par coquetterie, d'observer les trois hommes qu'il avait réunis dans sa chambre pour assister à cet étrange interrogatoire.

— Allô! monsieur Joseph Daumale?

Little John ne put s'empêcher de croiser et de décroiser les jambes sans cependant donner d'autres signe d'émotion.

— Ici, Maigret... Oui, le Maigret de la Police judiciaire, comme vous dites. Je m'empresse d'ajouter que j'ai quitté le Quai des Orfèvres et que c'est à titre privé que je vous téléphone. Comment?... Attendez. Dites-moi tout d'abord où l'appareil est placé chez vous. Dans votre bureau? Au premier étage?... Encore une question. Peut-on vous entendre d'en bas ou des chambres ?... C'est cela. Fermez la porte. Et, si vous ne l'avez pas déjà fait, passez une robe de chambre.

Il aurait parié que le bureau du chef d'orchestre était de style Renaissance, avec des meubles anciens lourds et bien cirés, et que les murs étaient ornés de photographies représentant les divers orchestres que Joseph Daumale avait dirigés dans les petits casinos de France.

— Allô ! Attendez que je dise encore un mot à la demoiselle qui est branchée sur la ligne et qui nous écoute... Vous seriez fort aimable de retirer votre fiche, mademoiselle, et de veiller à ce que nous ne soyons pas coupés... Allô !... Très bien... Vous êtes là, monsieur Daumale ?

Est-ce qu'il portait maintenant une barbe, une moustache ? Une moustache, presque à coup sûr. Poivre et sel, sans doute. Et des lunettes à verres épais. Avait-il eu le temps de mettre ses lunettes en sautant du lit ?

— Je vais vous poser une question qui vous paraîtra aussi saugrenue qu'indiscrète, et je vous demande de réfléchir avant de répondre. Je sais que vous êtes un homme sobre, conscient de ses responsabilités de père de famille... Comment ?... Vous êtes un honnête homme ?

Il se tourna vers Little John et répéta sans ironie :
— Il dit qu'il est un honnête homme.
Et il renchaîna :
— Je n'en doute pas, monsieur Daumale. Comme il s'agit de choses très graves, je suis persuadé que vous allez me répondre en toute franchise. Quand avez-vous été ivre pour la dernière fois ?... Oui, vous avez entendu... J'ai dit ivre. Vraiment ivre, vous comprenez ? Assez ivre pour perdre le contrôle de vous-même.

Un silence. Et Maigret imaginait le Joseph d'autrefois, celui qu'il avait façonné en esprit en écoutant la voyante dévider ses souvenirs. Il devait être devenu assez gras. Dans doute avait-il été décoré? Est-ce que sa femme n'était pas sur le palier, à écouter?

— Vous devriez aller vous assurer qu'il n'y a personne derrière la porte... Vous dites?... Oui, j'attends.

Il entendit les pas, le bruit de la porte qui s'ouvrait et se refermait.

— Eh bien! En juillet dernier? Comment? Cela ne vous est pas arrivé plus de trois fois dans votre vie? Je vous en félicite.

Du bruit, dans la chambre, vers la cheminée. C'était Parson qui s'était levé et qui se versait du whisky d'une main hésitante, entrechoquant le goulot de la bouteille contre le verre.

— Donnez-moi donc des détails, voulez-vous? En juillet, c'était donc à La Bourboule. Au Casino, oui, je le supposais... Par hasard, évidemment... Attendez. Je vais vous aider... Vous étiez, n'est-ce pas, en compagnie d'un Américain? Un nommé Parson... Vous ne vous souvenez pas de son nom? Cela importe assez peu. Un garçon maigre, mal soigné de sa personne, les cheveux filasse et les dents jaunes... Oui... D'ailleurs il est ici à côté de moi... Comment?

» Calmez-vous, je vous en prie. Je puis vous assurer qu'il n'en résultera aucun désagrément pour vous.

» Il était au bar... Non. Excusez-moi si je répète vos réponses, mais il y a autour de moi certaines personnes que votre récit intéresse... Mais non, il ne s'agit pas de la police américaine. Rassurez-vous pour la paix de votre ménage et pour votre situation. »

La voix de Maigret était devenue méprisante et ce fut presque un regard complice qu'il lança à Little John qui écoutait, le front dans la main, tandis que

Mac Gill jouait nerveusement avec son étui à cigarettes en or.

— Vous ne savez pas comment c'est arrivé? On ne sait jamais comment arrivent ces choses-là. On boit un verre, deux verres, oui. Il y avait des années que vous n'aviez pas bu de whisky? Évidemment. Et cela vous faisait plaisir de parler de New-York... Allô!... Dites-moi, est-ce qu'il y a du soleil, là-bas?

C'était ridicule, mais depuis le début de la conversation il avait envie de poser cette question. C'était comme un besoin de voir son personnage dans son cadre, ans son atmosphère.

— Oui. Je comprends. Le printemps est plus précoce en France qu'ici. Vous avez beaucoup parlé de New-York et de vos débuts, n'est-ce pas? *J and J...* Peu importe comment j'ai été mis au courant.

» Et vous lui avez demandé s'il connaissait un certain Little John... Vous étiez très ivre... Oui, parfaitement, je sais que c'est lui qui vous forçait à boire. Les ivrognes n'aiment pas boire seuls.

» Vous lui avez dit que Little John... Mais si, monsieur Daumale... Je vous en prie... Comment? Vous ne voyez pas comment je pourrais vous forcer à répondre? Mettons, par exemple, que vous receviez demain ou après-demain un commissaire de la Brigade mobile muni d'une commission rogatoire en bonne et due forme?

» Un peu de courage, je vous en prie. Vous avez fait beaucoup de mal, sans le vouloir, c'est possible. Mais vous avez fait du mal quand même. »

Il élevait la voix, furieux, faisait signe à Mac Gill de lui verser un verre de bière.

— Ne me dites pas que vous ne vous souvenez pas. Parson, lui, s'est malheureusement souvenu de tout ce que vous lui avez dit. Jessie... Comment?...

La maison de la 169ᵉ rue... A ce propos, j'ai une
mauvaise nouvelle à vous annoncer. Angelino est
mort. Il a été assassiné et c'est vous, en définitive,
qui êtes responsable de sa mort.

» Ne pleurnichez pas, voulez-vous ?

» C'est cela, asseyez-vous si vous vous sentez
les jambes molles. J'ai le temps. Les services du
téléphone sont prévenus et on ne nous coupera pas.
Quant à qui payera la communication, nous verrons cela plus tard. Rassurez-vous, ce ne sera pas
vous...

» Comment ? C'est cela : racontez tout ce que
vous voudrez, je vous écoute. Sachez seulement
que je suis au courant de beaucoup de choses et qu'il
est inutile de mentir.

» Vous êtes un pauvre type, monsieur Daumale.

» Un honnête homme, je sais, vous l'avez déjà
dit... »

Trois hommes silencieux dans une chambre d'hôtel
mal éclairée. Parson était allé s'affaler à nouveau
dans son fauteuil et il restait là, les yeux mi-clos,
la bouche entrouverte, tandis que Little John gardait
son front dans sa main blanche et fine et que Mac Gill
se servait un verre de whisky. Les taches blanches
des deux plastrons, des manchettes, le noir de l'habit
et du smoking, et cette voix unique qui retentissait
dans la pièce, tantôt lourde et méprisante, tantôt
avec des vibrations de colère.

— Parlez... Vous l'aimiez, c'est entendu. Sans
espoir... Mais oui!... Je vous dis que je comprends
et même, si vous y tenez, que je vous crois... Votre
meilleur ami... Donné votre vie pour lui.

De quelle lippe dédaigneuse il laissait tomber
ces mots!

— Tous les faibles disent ça et cela ne les empêche

pas de se révolter. Je sais. Je sais. Vous ne vous êtes pas révolté. Vous avez seulement profité de l'occasion, n'est-ce pas ?... Non, ce n'est pas elle... Je vous en prie, ne la salissez pas par surcroît. C'était une petite fille et vous étiez un homme.

» Oui... Le père de Maura à la mort. Je sais ça. Et il est parti... Vous êtes revenus tous les deux dans la 169e rue. Très malheureuse, je m'en doute... Qu'il ne reviendrait pas ?... Qui est-ce qui lui a dit cela ?... Jamais de la vie ! C'est vous qui lui avez mis cette idée dans la tête. Il n'y a qu'à voir votre photographie à cette époque-là. Parfaitement, je l'ai. Vous ne l'avez plus ? Eh bien ! je vous en enverrai un exemplaire.

» La misère ? Pas laissé d'argent ? Comment vous en aurait-il laissé, puisqu'il n'en avait pas plus que vous ?

» Bien entendu. Vous ne pouviez pas faire votre numéro à vous seul. Mais vous pouviez jouer de la clarinette dans les cafés, dans les cinémas, dans les rues au besoin.

» Vous l'avez fait ? Je vous en félicite.

» Dommage que vous ayez fait autre chose aussi. J'entends bien, l'amour.

» Seulement, vous saviez parfaitement qu'il y avait un autre amour, deux autres amours, celui de Jessie et celui de votre ami.

» Et après ? Abrégez, monsieur Daumale. Vous faites à présent de la mauvaise littérature.

» Près de dix mois, je sais... Ce n'était pas sa faute si son père, qu'on lui avait donné comme presque mort, ne se décidait pas à sauter le pas. Ni s'il a eu des difficultés, ensuite, pour arranger ses affaires.

» Et, pendant ce temps-là, vous l'aviez remplacé.

» Et, quand l'enfant est né, vous avez eu telle-

ment peur, car John annonçait son retour prochain,
que vous l'avez mis à l'Assistance.

» Qu'est-ce que vous jurez?... Comment?... Vous
voulez aller voir derrière la porte?... Je vous en prie.
Et avalez un verre d'eau par la même occasion, car
vous me paraissez en avoir besoin. »

C'était la première fois de sa vie qu'il menait
ainsi un interrogatoire à cinq mille kilomètres de
distance, sans rien savoir de son interlocuteur.

Des gouttes de sueur perlaient à son front. Il
avait déjà vidé deux bouteilles de bière.

— Allô! Ce n'est pas vous, je sais. Cessez donc
de me répéter que ce n'est pas votre faute. Vous
aviez pris sa place et il est revenu. Et, au lieu de lui
avouer la vérité, de garder la femme que vous prétendez avoir aimée, vous la lui avez rendue, lâchement, salement.

» Mais si, Joseph.

» Vous étiez un sale petit lâche. Un vilain res-
quilleur sans courage.

» Et vous n'osiez pas lui apprendre qu'un enfant
était né. Que dites-vous?

» Qu'il n'aurait pas cru que l'enfant était de lui?
Attendez que je répète vos paroles.

» — *John n'aurait pas cru que l'enfant était de
lui...*

» Donc, vous saviez, vous, qu'il n'était pas à vous...
Hein? Autrement, vous ne l'auriez pas mis à l'Assistance? Et vous me dites ça tranquillement?... Je
vous défends de raccrocher, vous entendez? Sinon,
je vous fais coffrer avant ce soir. Bon!...

» Vous êtes peut-être devenu un honnête homme
ou quelque chose qui ressemble extérieurement à
un honnête homme, mais vous étiez en ce temps-là
une jolie petite crapule.

» Et vous avez continué à vivre tous les trois
sur le même palier.

» John reprenait la place que vous aviez occupée
pendant son absence.

» Parlez plus haut. Je tiens à ne pas perdre un
mot... John n'était plus le même ? Que voulez-vous
dire ? Il était inquiet, nerveux, soupçonneux ? Avouez
qu'il y avait de quoi. Et Jessie voulait tout lui avouer ?
Parbleu ! Cela aurait mieux valu pour elle, n'est-il
pas vrai ?

» Mais non, évidemment, vous ne pouviez pas
prévoir. Vous l'avez empêchée de parler.

» Et John se demandait ce qu'il y avait d'équivoque autour de lui... Quoi ? Elle pleurait à tout
bout de champ ? J'aime bien le mot. Vous avez des
mots magnifiques. *Elle pleurait à tout bout de champ.*

» Comment a-t-il su ? »

Little John fit un mouvement comme s'il voulait parler, mais le commissaire lui adressa un signe
de la main pour lui imposer silence.

— Laissez-le dire ! Non, ce n'est pas à vous que
je parle. Vous le saurez tout à l'heure... Il a trouvé
une facture de la sage-femme ?... En effet, on ne peut
pas penser à tout... Il n'a pas cru que c'était de lui ?

» Mettez-vous à sa place... Surtout à l'Assistance
publique.

» Où étiez-vous pendant cette scène ?... Mais si,
puisque vous avez tout entendu. Derrière la porte
de communication, oui. Car il y avait une porte de
communication entre les deux chambres ! Et pendant...
pendant combien de temps, au fait ?... Trois semaines...
Pendant trois semaines après son retour, vous avez
dormi dans cette chambre, à côté de celle où John
et Jessie, Jessie qui vous avait appartenu pendant
plusieurs mois...

» Finissez vite, voulez-vous ?... Je suis sûr que vous n'êtes pas joli à voir en ce moment, monsieur Daumale... Je ne regrette plus de vous interroger par téléphone, car je crois que je me retiendrais difficilement de vous flanquer mon poing dans la figure.

» Taisez-vous ! Contentez-vous de répondre à mes questions. Vous étiez derrière la porte.

» Oui... Oui... Oui... Continuez... »

Il fixait le tapis de la table devant lui et, maintenant, il évitait de répéter les paroles qu'il entendait. Il avait les mâchoires si serrées qu'à certain moment le tuyau de sa pipe éclata entre ses dents.

— Et après ? Faites vite, que diable !... Comment ?... Et vous n'êtes pas intervenu plus tôt ?... Capable de tout, oui !... Mettez-vous à sa place. Ou plutôt non, vous n'y parviendriez pas... Dans l'escalier... Angelino qui rapportait un complet... A tout vu... Oui.

» Mais non. Vous mentez encore... Vous n'avez pas essayé d'entrer dans la chambre : vous avez tenté de filer. Seulement, comme la porte était ouverte... C'est cela... Il vous a vu.

» Je m'en doute bien, qu'il était trop tard !

» Cette fois, je vous crois sans hésiter. Je suis certain que vous n'avez pas raconté ça à Parson. Parce que vous pourriez être accusé de complicité, n'est-il pas vrai ? Et remarquez que vous pouvez l'être encore... Non, il n'y a pas prescription, vous vous trompez... Je vois très bien la malle d'osier. Et le reste... Merci. Je n'ai pas besoin d'en savoir davantage. Comme je vous l'ai dit en commençant, Parson est ici. Il est ivre, oui, comme d'habitude.

» Little John est ici aussi. Vous ne désirez pas lui parler ? Je ne peux pas vous y forcer, évidemment.

» Ni à Mac Gill, que vous aviez si aimablement expédié à l'Assistance publique?... Parfaitement, il est dans ma chambre, lui aussi.

» C'est tout. L'odeur du café préparé par Mme Daumale doit monter jusqu'à vous. Vous allez pouvoir raccrocher, pousser un profond soupir de soulagement et descendre prendre votre petit déjeuner en famille.

» Je parie que je devine comment vous allez expliquer ce coup de téléphone. Un impresario américain qui a entendu parler de vos talents de chef d'orchestre et qui...

» Adieu, Joseph Daumale. Avec l'espoir de ne jamais vous rencontrer, crapule! »

Et Maigret raccrocha, resta un bon moment immobile, comme vidé de toute son énergie.

Personne ne bougeait autour de lui. Il se leva lourdement, ramassa le fourneau de sa pipe cassée et le posa sur la table. C'était, comme par hasard, la pipe qu'il avait achetée le second jour de son arrivée à New-York. Il alla prendre une autre pipe dans la poche de son pardessus, la bourra, l'alluma et se versa à boire, non plus de la bière, qui lui paraissait à présent trop fade, mais un grand verre de whisky pur.

— Et voilà! soupira-t-il enfin.

**
**

Little John n'avait toujours pas bougé et ce fut Maigret qui lui emplit un verre et le posa à portée de sa main.

Quand Maura eut bu, seulement et qu'il se fut quelque peu redressé, le commissaire parla de sa voix normale qui rendait soudain un son étrange.

— Nous ferions peut-être mieux d'en finir d'abord avec celui-là, dit-il en désignant Parson, qui s'épongeait le front au fond de son fauteuil.

Encore un faible, encore un lâche, mais de la pire espèce, de l'espèce agressive. Au fait, Maigret ne préférait-il pas encore ça à la lâcheté prudente et bourgeoise d'un Daumale ?

Son histoire, à lui, était facile à reconstituer. Il connaissait, du *Donkey Bar* ou d'ailleurs, un certain nombre de gangster capables d'utiliser les renseignements que le hasard lui avait mis entre les mains au cours de son voyage en Europe.

— Combien avez-vous reçu ? lui demanda mollement Maigret.

— Qu'est-ce que cela peut vous faire ? Vous seriez trop content de savoir que j'ai été refait.

— Quelques centaines de dollars ?

— A peine.

Alors le commissaire tira son chèque de sa poche, le chèque de deux mille dollars que Mac Gill lui avait remis au nom de Little John. Il prit une plume sur la table, l'endossa au nom de Parson.

— Cela vous suffira pour disparaître alors qu'il en est encore temps. J'avais besoin de vous avoir sous la main pour le cas où Daumale aurait refusé de parler, ou pour le cas où je me serais trompé. Vous n'auriez pas dû me parler de votre voyage en France, voyez-vous. J'aurais trouvé quand même, en fin de compte, peut-être beaucoup plus tard, car je savais que vous connaissiez Mac Gill et que, d'autre part, vous fréquentiez les gens qui ont tué Angelino. Remarquez que je ne vous demande même pas leur nom.

— Jos les connaît aussi bien que moi.

— C'est exact. Cela ne me regarde pas. Ce que j'essaie de vous éviter, je ne sais pas pourquoi, peut-être parce que j'ai pitié, c'est de vous voir passer devant le jury.

— Je me tirerais une balle dans la peau avant ça !

— Pourquoi?

— A cause de certaine personne.

Cela faisait peut-être très roman populaire et cependant Maigret aurait parié qu'il faisait allusion à sa mère.

— Je ne crois pas qu'il soit prudent pour vous de sortir de l'hôtel aujourd'hui. Vos amis s'imaginent certainement que vous vous êtes mis à table et, dans votre milieu, on n'aime pas beaucoup ça. Je vais téléphoner pour qu'on vous donne une chambre non loin de la mienne.

— Je n'ai pas peur.

— Je préférerais qu'il ne vous arrive rien cette nuit.

Parson, haussant les épaules, but du whisky à même le goulot :

— Ne vous en faites pas pour moi.

Il prit le chèque, se dirigea en titubant vers la porte.

— Salut, Jos! lança-t-il en se retournant.

Et, dans un dernier effort d'ironie :

— *Bye bye, mister Mégrette.*

Pressentiment? Le commissaire fut sur le point de le rappeler, de le forcer à coucher à l'hôtel, de l'enfermer au besoin dans une chambre. Il ne le fit pas. Il ne put cependant pas s'empêcher de marcher jusqu'à la fenêtre, dont il souleva le rideau d'un geste qui ne lui était pas familier, qui appartenait à Little John.

Quelques minutes plus tard, on entendait quelques détonations sourdes, une rafale de mitraillette, à coup sûr.

Et Maigret, revenant vers les deux hommes, de soupirer :

— Je ne crois pas que ce soit la peine de descendre. Il doit avoir son compte!

CHAPITRE

10

Ils RESTÈRENT
encore une heure dans la chambre, qui s'emplissait
peu à peu, comme le bureau du Quai des Orfèvres, de
la fumée des pipes et des cigarettes.

— Je m'excuse, avait commencé par dire Little
John, de la façon dont mon fils et moi avons essayé
de vous écarter.

Il était las, lui aussi, mais on sentait chez lui une
grande détente, un soulagement infini, quasi physique.

Pour la première fois, Maigret le voyait autrement
que tendu, replié sur lui-même, contenant avec une
énergie douloureuse son envie de bondir.

— Voilà six mois que je leur tiens tête, ou plutôt
que je ne leur cède du terrain que pouce par pouce.
Ils sont quatre, dont deux Siciliens.

— Cette partie de l'affaire ne me regarde pas, pro-
nonça Maigret.

— Je sais. Hier, lorsque vous êtes venu à l'hôtel,
j'ai failli vous parler et c'est Jos qui m'en a empêché.

Son visage se durcit, ses yeux devinrent plus inhu-
mains que jamais — mais maintenant Maigret savait
quelle douleur leur donnait cette froideur terrible.

— Imaginez-vous, articula-t-il à voix basse, ce que
c'est d'avoir un fils dont on a tué la mère et d'aimer
toujours celle-ci ?

Mac Gill était allé s'asseoir discrètement dans le fauteuil d'angle, celui qu'avait occupé Parson, le plus loin possible des deux hommes.

— Je ne vous parlerai pas de ce qui s'est passé jadis. Je ne me cherche pas d'excuses. Je n'en veux pas. Vous comprenez ? Je ne suis pas Joseph Daumale. C'est lui que j'aurais dû tuer. Il faut pourtant que vous sachiez.

— Je sais.

— Que j'ai aimé, que j'aime encore comme je crois qu'aucun homme n'a aimé. Devant l'écroulement total, je... Non, ce n'est pas la peine.

Et Maigret répéta gravement :

— Ce n'est pas la peine.

— Je crois que j'ai payé plus cher que la justice des hommes ne m'aurait fait payer. Tout à l'heure vous avez empêché Daumale d'aller jusqu'au bout. Je pense, commissaire, que vous avez foi dans mes paroles ?

Et Maigret abaissa deux fois la tête dans un geste affirmatif.

— Je voulais disparaître avec elle. Puis j'ai décidé de m'accuser. C'est lui qui m'en a empêché, par crainte d'être mêlé à une sale histoire.

— J'ai compris.

— C'est lui qui est allé chercher la malle d'osier dans sa chambre. Il proposait que nous la jetions dans le fleuve. Je n'ai pas pu. Il y a une chose qu'il est impossible que vous ayez devinée. Angelino était venu. Il avait vu. Il savait. Il pouvait aller me dénoncer. Joseph prétendait que nous partions tout de suite. Eh bien ! pendant deux jours...

— Oui. Vous l'avez gardée.

— Et Angelino n'a pas parlé. Et Joseph devenait à moitié fou de fureur. Et j'étais dans un tel état que je supportais sa présence à lui, que je lui ai donné mon dernier argent pour faire le nécessaire.

» Il a acheté une camionnette d'occasion. Nous avons feint de déménager et nous avons embarqué tout ce que nous possédions...

» Nous sommes allés dans la campagne, à cinquante milles, et c'est moi, dans un bois près de la rivière...

— Tais-toi, père, supplia la voix de Mac Gill.

— C'est tout. Je dis que j'ai payé, payé de toutes les façons. Même par le doute. Et c'était le plus affreux. Car, pendant des mois, j'ai continué à douter, à me dire que l'enfant n'était peut-être pas de moi, que Jessie m'avait peut-être menti.

» Je l'ai confié à une brave femme que je connaissais et je ne voulais pas le voir... Même plus tard, je ne me reconnaissais pas le droit de le voir... On n'a pas le droit de voir le fils de...

» Est-ce que je pouvais vous dire tout ça quand Jean vous a amené à New-York?

» C'est mon fils aussi.

» Mais ce n'est pas le fils de Jessie.

» Je vous avoue, commissaire, et Jos le sait bien, qu'après quelques années j'ai espéré redevenir un homme comme un autre et non plus une sorte d'automate.

» Je me suis marié... Sans amour... Comme on prend un remède... J'ai eu un enfant... Et je n'ai jamais pu vivre avec la mère... Elle vit encore... C'est elle qui a demandé le divorce... Elle est quelque part en Amérique du Sud où elle s'est fait une nouvelle existence.

» Vous savez que Jos a disparu, alors qu'il avait une vingtaine d'années... Il fréquentait, à Montréal, un milieu assez semblable, toutes proportions gardées, à celui où vous avez rencontré Parson...

» La vieille Mac Gill est morte... J'ai perdu la trace

de Jos et je ne me doutais pas qu'il vivait à quelques
centaines de mètres de moi, à Broadway, parmi les
gens que vous connaissez.

» Mon autre fils, Jean, il me l'a avoué, vous a montré
les lettres que je lui adressais et vous avez dû être
surpris...

» C'était, comprenez-vous, parce que je ne pensais
qu'à l'autre, qu'au fils de Jessie...

» Je me forçais à aimer Jean... Je le faisais avec une
sorte de rage... Je voulais coûte que coûte lui donner
une affection qu'au fond de moi je vouais à un autre...

» Et un jour, il y a six mois environ, j'ai vu arriver
ce garçon-là ».

Quelle tendresse infinie dans ce mot « garçon », dans
ce geste pour désigner Jos Mac Gill!

— Il venait d'apprendre, par Parson et par ses
amis, la vérité. Je me souviens de ses premiers mots
quand nous nous sommes trouvés face à face :

» — *Monsieur, vous êtes mon père...* »

Et Mac Gill, à ce moment, de supplier :

— Tais-toi, papa!

— Je me tais. Je ne dis que l'essentiel. Depuis,
nous vivons ensemble, nous travaillons ensemble à
sauver ce qu'il est possible de sauver, et cela vous
explique les mouvements de fonds dont M. d'Hoquélus vous a parlé... Car je sentais la catastrophe inévitable un jour ou l'autre. Nos ennemis, qui avaient
été les amis de Jos, ne se gênaient pas et, quand vous
êtes arrivé, c'est l'un d'entre eux, Bill, qui a monté
toute une comédie pour vous donner le change.

» Vous avez cru que Bill était à nos ordres, alors
que c'était lui qui nous en donnait... C'est en vain
qu'on a essayé de vous décider à partir...

» Ils ont tué Angelino à cause de vous, parce
qu'ils vous sentaient sur la bonne piste et qu'ils

ne voulaient pas être frustrés de leur meilleure affaire...

» Je représente trois millions de dollars, monsieur Maigret... En six mois, j'en ai lâché près d'un demi-million, mais c'est la totalité qu'ils veulent.

» Allez expliquer cela à la police officielle. »

Pourquoi Maigret pensait-il à cet instant précis à son clown triste ? C'était Dexter, bien plus que Maura, qui prenait soudain figure de symbole, lui et, paradoxalement, le Parson qui venait de se faire abattre dans la rue au moment où il avait enfin gagné, presque honnêtement, deux mille dollars.

Ronald Dexter, aux yeux du commissaire, résumait la mauvaise chance et tout le malheur qui peut accabler des épaules humaines. Dexter qui, lui aussi, avait gagné une petite fortune, cinq cents dollars, en trahissant, et qui était venu les poser sur cette table où les bouteilles de bières et les verres de whisky voisinaient maintenant avec des sandwiches auxquels personne ne touchait.

— Vous pourriez peut-être partir pour l'étranger ? suggéra Maigret sans conviction.

— Non, commissaire... Un Joseph le ferait, mais pas moi... J'ai lutté tout seul pendant près de trente ans... Contre mon pire ennemi : moi-même et ma douleur... Cent fois, j'ai souhaité que tout craque, comprenez-vous ?... J'ai vraiment, sincèrement souhaité rendre des comptes.

— A quoi cela servirait-il ?

Et Little John eut un mot qui exprimait vraiment le fond de sa pensée, maintenant qu'il avait permis à ses nerfs de se relâcher.

— *A me reposer...*

*
* *

— Allô... Le lieutenant Lewis ?

Maigret, seul dans sa chambre, à cinq heures du matin, avait appelé le policier à son domicile personnel.

— Vous avez du nouveau? lui demandait l'autre. Il y a eu un crime cette nuit, non loin de chez vous, en pleine rue, et je me demande...

— Parson?

— Vous êtes au courant?

— Cela a si peu d'importance, voyez-vous!

— Vous dites?

— Que cela a peu d'importance! Il serait quand même mort dans deux ou trois ans d'une cirrhose du foie et il aurait souffert davantage.

— Je ne commprends pas...

— Cela ne fait rien... Je vous téléphone, lieutenant, parce que je pense qu'il y a un bateau anglais demain matin pour l'Europe et que j'ai l'intention de le prendre.

— Vous savez que nous n'avons pas retrouvé d'acte de décès au nom de la jeune personne?

— Vous n'en trouverez pas.

— Vous dites?

— Rien... En somme, il n'y a eu qu'un crime de commis, pardon, depuis cette nuit, cela en fait deux! Angelino et Parson... Nous appelons cela, en France, des drames du *milieu*.

— Quel milieu?

— Celui des gens qui ne se préoccupent pas de la vie humaine.

— Je ne saisis pas.

— Peu importe! Je voulais vous dire adieu, lieutenant, car je retourne dans ma maison de Meung-sur-Loire où je serai toujours heureux de vous accueillir si vous venez visiter notre vieux pays.

— Vous renoncez?

— Oui.

— Découragé ?

— Non.

— je ne veux pas vous vexer.

— Sûrement pas.

— Mais nous les aurons.

— J'en suis persuadé.

C'était vrai, d'ailleurs, puisque trois jours plus tard, en mer, Maigret apprenait par la radio que quatre gansters dangereux, dont deux Siciliens, avaient été appréhendés par la police pour le meurtre d'Angelino et pour celui de Parson, et que leur avocat niait l'évidence.

Au moment du départ du paquebot, il y avait, sur le quai, un certain nombre de personnes qui feignaient de ne pas se connaître, mais qui, toutes, regardaient dans la direction de Maigret.

Little John, en complet bleu et en pardessus sombre.

Mac Gill, qui fumait nerveusement des cigarettes à bout de liège.

Un personnage lugubre, qui essayait de se faufiler et que les stewards traitaient avec un dédain souverain : Ronald Dexter.

Il y avait aussi un homme roux, à tête de mouton, qui resta jusqu'au dernier moment à bord et envers qui la police montrait de grands égards.

C'était le capitaine O'Brien qui questionnait, lui aussi, devant un dernier *drink* pris au bar du navire.

— En somme, vous abandonnez ?

Il avait son visage le plus innocent et Maigret s'efforçait de calquer cette innocence pour répondre :

— Comme vous le dites, capitaine, j'abandonne.

— Au moment où...

— Au moment où on pourrait faire parler des gens

qui n'ont rien d'intéressant à dire, mais où, dans la vallée de la Loire, il est grand temps de repiquer les plants de melon sous couche... Et je suis devenu jardinier, voyez-vous.

— Content ?

— Non.

— Déçu ?

— Pas davantage.

— Échec ?

— Je n'en sais rien.

Cela ne dépendait, à ce moment-là encore, que des Siciliens. Une fois arrêtés, ils parleraient ou ils ne parleraient pas pour se défendre.

Ils jugèrent plus prudent, et peut-être plus profitable, de ne pas parler.

Et Mme Maigret questionnait dix jours plus tard :

— En somme, qu'est-ce que tu es allé faire exactement en Amérique ?

— Rien du tout.

— Tu ne t'es même pas rapporté une pipe comme je te l'avais écrit...

Il joua son Joseph à son tour et répondit lâchement :

— Là-bas, vois-tu, elles sont beaucoup trop chères... Et pas solides...

— Tu aurais pu tout au moins me rapporter quelque chose pour moi, un souvenir, je ne sais pas...

A cause de quoi, il se permit de câbler à Little John :

Prière envoyer appareil à disques.

Ce fut tout ce qu'il conserva, avec quelques pièces de bronze et quelques *nickels*, de son voyage à New-York.

FIN

Le 7 mars 1946.

OUVRAGES DE GEORGES SIMENON
AUX PRESSES DE LA CITÉ (suite)

« TRIO »

I. — La neige était sale —
Le destin des Malou — Au
bout du rouleau
II. — Trois chambres à
Manhattan — Lettre à mon
juge — Tante Jeanne
III. — Une vie comme neuve
— Le temps d'Anaïs — La

fuite de Monsieur Monde
IV. — Un nouveau dans la
ville — Le passager clan-
destin — La fenêtre des
Rouet
V. — Pedigree
VI. — Marie qui louche —
Les fantômes du chapelier

— Les quatre jours du
pauvre homme
VII. — Les frères Rico — La
jument perdue — Le fond
de la bouteille
VIII. — L'enterrement de
M. Bouvet — Le grand
Bob — Antoine et Julie

PRESSES POCKET

Monsieur Gallet, décédé
Le pendu de Saint-Pholien
Le charretier de la Provi-
dence
Le chien jaune
Pietr-le-Letton
La nuit du carrefour
Un crime en Hollande
Au rendez-vous des Terre-
Neuvas
La tête d'un homme

La danseuse du gai moulin
Le relais d'Alsace
La guinguette à deux sous
L'ombre chinoise
Chez les Flamands
L'affaire Saint-Fiacre
Maigret
Le fou de Bergerac
Le port des brumes
Le passager du « Polarlys »
Liberty Bar

Les 13 coupables
Les 13 énigmes
Les 13 mystères
Les fiançailles de M. Hire
Le coup de lune
La maison du canal
L'écluse n° 1
Les gens d'en face
L'âne rouge
Le haut mal
L'homme de Londres

A LA N.R.F.

Les Pitard
L'homme qui regardait pas-
ser les trains
Le bourgmestre de Furnes
Le petit docteur
Maigret revient

La vérité sur Bébé Donge
Les dossiers de l'Agen-
ce O
Le bateau d'Émile
Signé Picpus

Les nouvelles enquêtes de
Maigret
Les sept minutes
Le cercle des Mahé
Le bilan Malétras

ÉDITION COLLECTIVE SOUS COUVERTURE VERTE

I. — La veuve Couderc —
Les demoiselles de
Concarneau — Le coup de
vague — Le fils Cardinaud
II. — L'Outlaw — Cour d'as-
sises — Il pleut, bergère...
— Bergelon
III. — Les clients d'Avrenos
— Quartier nègre — 45° à
l'ombre
IV. — Le voyageur de la
Toussaint — L'assassin —
Malempin
V. — Long cours —
L'évadé

VI. — Chez Krull — Le sus-
pect — Faubourg
VII. — L'aîné des Ferchaux
— Les trois crimes de mes
amis
VIII. — Le blanc à lunettes
— La maison des sept
jeunes filles — Oncle
Charles s'est enfermé
IX. — Ceux de la soif — Le
cheval blanc — Les incon-
nus dans la maison
X. — Les noces de Poitiers
— Le rapport du gen-
darme G. 7

XI. — Chemin sans issue
— Les rescapés du
« Télémaque » — Tou-
ristes de bananes
XII. — Les sœurs Lacroix
— La mauvaise étoile —
Les suicidés
XIII. — Le locataire — Mon-
sieur La Souris — La
Marie du Port
XIV. — Le testament Dona-
dieu — Le châle de Marie
Dudon — Le clan des
Ostendais

MÉMOIRES

Lettre à ma mère
Un homme comme un autre
Des traces de pas
Les petits hommes
Vent du nord vent du sud
Un banc au soleil
De la cave au grenier
À l'abri de notre arbre
Tant que je suis vivant
Vacances obligatoires

La main dans la main
Au-delà de ma porte-fenêtre
Je suis resté un enfant de
chœur
A quoi bon jurer ?
Point-virgule
Le prix d'un homme
On dit que j'ai soixante-
quinze ans
Quand vient le froid

Les libertés qu'il nous reste
La Femme endormie
Jour et nuit
Destinées
Quand j'étais vieux
Mémoires intimes

Achevé d'imprimer en octobre 1990
sur lés presses de Cox and Wyman Ltd
(Angleterre)

Dépôt légal : novembre 1990
Imprimé en Angleterre